KU-480-667

LOS PERSONAJES DE SABATO

HELMY F. GIACOMAN, JORGE GARCÍA-GÓMEZ,
MARCELO CODDOU, FRED PETERSEN,
THOMAS C. MEEHAN, HÉLÈNE BAPTISTE

LOS PERSONAJES DE SABATO

Introducción y selección
HELMY F. GIACOMAN

EMECÉ EDITORES

IMPRESO EN ARGENTINA — PRINTED IN ARGENTINA

Queda hecho el depósito que previene la ley número 11.723

A mis hijas Elena y Gabriela

PREFACIO

La obra que presentamos pretende servir de ayuda tanto al amante de la literatura como al crítico que necesita tener a su alcance estudios de esta índole. Este primer tomo está dedicado a El túnel. *Ya tenemos en preparación un segundo a propósito de* Sobre héroes y tumbas. *El tercero y último estará dedicado a estudiar los ensayos de Ernesto Sabato.*

Quisiera expresar mi más sincera gratitud a los colegas que han contribuido. Si el volumen tiene valor será gracias a la gran literatura que Sabato nos ofrece y al genuino interés que los presentes colaboradores han mostrado en sus estudios. Agradezco a las siguientes revistas literarias por haberme permitido la reproducción de algunas de las monografías aquí incluidas: "Atenea", por el estudio del profesor Marcelo Coddou ("Atenea", 43, CLXII, *1966): 141-168; "Revista Hispánica Moderna", por el estudio del profesor Jorge García-Gómez ("Revista Hispánica Moderna" 33, 1967): 232-240; "Hispania", por el estudio del profesor Fred Petersen*

("Hispania" 50:271-276); y a la revista "Modern Language Notes", por el estudio del profesor Thomas C Meehan ("Modern Language Notes" 83: 226-256). Al mismo tiempo quisiera expresar mi reconocimiento al profesor James Stais y a la señora Grace Bennet por su apoyo y ayuda. Otro tanto a la señora N. Halpert por su ayuda en la materia bibliográfica. Nuestras gracias al decano de Adelphi University, doctor Richard Clemo, por su colaboración. Finalmente a la ayuda espiritual de mi esposa Sharon.

NOTA PRELIMINAR

Pongo entre sus manos, querido lector, este conjunto de variaciones interpretativas en torno de la novela El túnel *de Ernesto Sabato. Quisiera esbozar, brevemente, ciertos componentes temáticos, antes de que se interne en el contenido del libro, cómo el universo sabatiano está articulado. Para empezar, me permito afirmar que la obra entera del gran novelista argentino está centrada en un profundo humanismo; su héroe trágico es el hombre de carne y hueso, hombre que, en cierto sentido, se nos presenta como un ser más trágico que las figuras de la tragedia griega. Estas encarnaban la idea de cierta comunicación entre las personas: eran sus vidas las que estaban gobernadas por un sino exterior a ellas. La tragedia de Juan Pablo Castel emana, básicamente, de su interioridad fenomenológica. Sus dioses o su sino son sus circunstancias diarias, su vida es la auténtica "situación" sartriana. Nuestro autor nos ha presentado a su protagonista desde ese punto de vista subjetivo y cosmológico a la vez. El sino externo griego ha pasado a consti-*

tuirse en la subjetividad humana del protagonista, un solitario incapaz de comunicarse. En otras palabras, el protagonista únicamente nos puede ofrecer su desnudez existencial. Es el ser que ha buscado en el amor el único puente que podría haberlo salvado, sin haberlo encontrado. Personaje muy bien delineado, representa al hombre que busca en su amada, desde hace milenios, su propia imagen y su interioridad fenomenológica: un hombre que pinta para poder concretar en la tela un mundo fragmentado. En suma, el gran solitario de la literatura hispanoamericana. Su sueño es integrar en su propio ser su paridad femenina para alcanzar la armonía total, a través de una metafísica del sexo. La historia de un hombre que representa a todos los hombres. Tal es la clave que veo en esta gran novela.

Desde ese punto de vista es imposible la explicación total de la obra. Nuestros estudios son sólo intentos de aproximación en la perspectiva de cada uno de estos intérpretes. Ahora bien, ese mundo que se nos presenta en la novela se agiganta en sus extremos humano-históricos. Trascendemos a lo que llamaría un vitalismo histórico-subjetivo del autor. En la segunda novela, Sobre héroes y tumbas, *Sabato nos ofrece uno cosmos ficticio y real, un barroquismo humano e histórico que constituirá el tema de nuestro segundo volumen.*

Quiero señalar, finalmente, que nuestro no-

velista se vuelca al ensayo para darnos un nuevo enfoque de la realidad, representada en ese caso desde un punto de vista objetivo: nos habla del derrumbe de nuestro tiempo, de la trasmutación de los valores a partir del Renacimiento, de la crisis del hombre de hoy y de su expresión en la novela, de la mecanización represiva del hombre. Extenso e iluminador panorama que será estudiado en un tercer volumen.

Si este libro despierta en el lector el deseo de volver a leer la obra de Ernesto Sabato me daré por satisfecho con nuestro esfuerzo. La labor del crítico es ingrata muchas veces: ésta ha sido una de las más felices excepciones.

H. F. Giacoman
Adelphi University
(Editor General)

I

La estructura imaginativa de Juan Pablo Castel

JORGE GARCÍA-GÓMEZ. (Long Island University)

Desde el punto de vista estricto del lector de una novela, no es posible dejar de preguntarse qué es lo que produce esa continua sensación de extrañeza, esa vertiginosa, sucesiva y fiera sensación de extrañeza como característica de *El túnel* de Sabato. Porque no se trata como en otros casos de una serie de impresiones conexas pero aisladas, sino de una atmósfera que se desenvuelve en ocasiones necesarias y apasionadas. Es imprescindible preguntar, pues, en qué consiste la unidad de esta novela. Como primera aproximación se puede responder que la unidad de *El túnel* viene a ser producida por el despliegue de la unidad estructural del protagonista Juan Pablo Castel; pero una respuesta tal es de las que mucho o nada dicen, por lo abstracto de su naturaleza. Nos vemos, pues, retrotraídos a preguntar en qué consiste esta unidad estructural del personaje central.

De primera intención, y para centrar nuestra atención en lo esencial, es menester decir que la tal unidad no es de naturaleza estática, como preconcebida en la mente del novelista y que sólo necesita ser contada, mejor aún, descrita según llega la ocasión o la oportunidad. Si así fuera, la unidad de la obra sería no sólo accidental y poco interesante (si es que todavía consistiera en la unidad del personaje), sino que también tendría que desplazarse de la conciencia del personaje como nudo de la novela a las afueras de la trama o a la geografía y al tiempo que determinan externamente las coordenadas del protagonista. En tal situación, sería imposible explicar la atmósfera dinámica, la premonición de ineluctabilidad que tienen los aconteceres de la obra. Juan Pablo Castel quedaría entonces reducido a un mero espectáculo, y su vida interior —en su auténtico modo de ofrecerse en esta obra, dinámico recordar, ansiosa anticipación, angustiada interpretación de lo que acontece— sería un total y absoluto absurdo. Es necesario, pues, tratar de entender esta novela a través de su protagonista y al protagonista a través de una dimensión temporal de tres momentos que mutuamente se implican en la unidad de la conciencia y que incesantemente se revisan y reinterpretan en desesperante reciprocidad.

Al final del capítulo XVII, Castel nos da en

forma sintética el planteo de su unidad central y móvil: "Mis dudas y mis interrogatorios fueron envolviéndolo todo, como una liana que fuera enredando y ahogando los árboles de un parque de una monstruosa trama". Lo que acontece a Castel no es un suceso externo, determinado en su significado por la ocasión, es decir, aclarado por el tiempo y por el espacio. Todo lo que le sucede ocupa su lugar en una "trama esencial" que lo interioriza, le da su significado (y, lo que es decisivo, le da su condición de necesitado, de condicionado irremediablemente). Todo hecho de la novela se transforma en un hecho de la vida de Castel. Debemos, sin embargo, interpretar correctamente esta afirmación: no queremos decir algo trivial; un hecho en la vida de Castel y, por consiguiente, un hecho de la novela de Sabato no es meramente un hecho en la vida del protagonista (es decir, algo que le sobreviene al personaje), sino fundamentalmente un hecho que le acontece y le sobreviene (pues la realidad de lo externo, ya sea social o natural, no se niega en gesto demoníaco), pero que le acontece como suyo, es decir, ocupando un lugar que le corresponde en el sistema vital de Juan Pablo. Un lugar que viene determinado por el sistema de premoniciones y de interpretaciones (dudas e interrogatorios) del personaje, y, lo que es más aún, un lugar en el tiempo y en el espacio que no queda unívocamente determinado una vez que el futuro se hace presente. El mismo presente (mientras ocurre) y el pasado (al parecer irremediable) quedan fundamentalmente abiertos a la interpretación, al reexamen de su significado para Castel. He aquí precisamente la clave para entender al personaje y a la novela: versan ambos sobre la vida, y sobre la vida en su curso temporal, pero esto no significa que el carácter ineluctable de la vida de Juan Pablo (y por consiguiente, de hechos, sucesos, personas y cosas que aparecen y desaparecen en la obra) venga determinado en la externalidad de una temporal serie de causas. Si es que hay en absoluto esa serie o secuencia en el tiempo, su carácter de necesidad y hasta su misma existencia se encuentran fundados en algo más profundo: lo único que regla e impera no es el tiempo ni la sucesión en el tiempo, sino lo que une y sintetiza lo que le acontece en el tiempo. Y eso es precisamente su conciencia, la oscura presencia de sí mismo. El carácter de oscuridad no es en absoluto desdeñable para poder interpretar esta novela, como pudiera pensarse a partir de nuestra insistencia en que lo decisivo es la incesante interpretación y reevaluación de los hechos acontecidos y por acontecer. Con todo rigor puede decirse que la fuente de "mis dudas y mis interrogatorios" es, para usar las palabras de Castel, la oscura premonición de lo que se es y que sin embargo sólo se siente, se adivina, se llega a manifestar vertiginosamente a través del tiempo. Esta oscura conciencia de sí, aunque ineluctable, va determinándose en el curso temporal de la vida del personaje, de modo que va creciendo en manifestación, aplicación y urgencia a medida que el tiempo pasa, de modo que Castel puede llegar a referirse a ella como si fuera una "liana que fuera enredando y ahogando los árboles de un parque en una monstruosa trama". Así pues, no hay ya un mero parque y unos simples árboles, sino que éstos son lo que son en virtud del lugar y del tiempo que ocupan en la trama de la vida de Castel. Pero aun esta determinación no resulta unívoca y definitiva, pues aun la determinación y la interpretación (ya sea del pasado, del presente o del porvenir) quedan en sí sujetas a la "monstruosa trama" de las dudas y los interrogatorios y exigen, en principio, ser reinterpretadas.

Uno de los indicios de que Castel no se encuentra en ningún momento (ni aun en el enigmático capítulo final) en posesión completa de un saber de sí mismo (y de que el carácter esencial del personaje exige esa abertura fundamental a la reinterpretación de sí mismo) lo encontramos en varios pasajes en los que nos explica su interna división — entre lo que hace y su juicio sobre lo que acaba de hacer, entre su decisión y su sentimiento que le sigue, etc. Véase, por ejemplo, el siguiente:

Y a medida que salieron (mis palabras), comenzó a tomar el mando de mi conciencia y de mi voluntad y casi llega su decisión a tiempo para impedir que la frase ("engañando a un ciego") saliera completa. Apenas terminada (porque a pesar de todo terminé la frase), era totalmente dueño de mí y ya ordenaba pedir perdón, humillarme delante de María, reconocer mi torpeza y mi crueldad. ¡Cuántas veces esta maldita división de mi conciencia ha sido culpable de hechos atroces!

Cada decisión y hecho suyo queda sujeto, irremediablemente, a nuevo escrutinio. Y lo que es más aún: esto generalmente sucede cuando se deja llevar de su espontaneidad, de su sensibilidad, de su sentimiento. Es imprescindible entonces que la conciencia de Castel retome este espontáneo (y también consciente) acaecer y lo haga suyo, ya sea criticándolo, reevaluándolo o rechazándolo. Hay una dualidad (o más rigurosamente, una multiplicidad de dualidades) entre un hecho consciente de su vida y su conciencia de ese hecho, entre su espontaneidad y su crítica. Nótese, por ejemplo, cómo opone lo que acaba de hacer espontáneamente (lo cual no significa "sin causa") a ese otro estado crítico que sigue: ser "totalmente dueño de mí". Esta oposición es constante en la novela de Sabato y se manifiesta de muchas maneras, como por ejemplo en su paso de estados espontáneos a otros en que piensa con "claridad" o con "precisión". El tema del juez y del acto cometido es esencial, pues, para manifestar la dialéctica de dualidad de Castel y para indicar que siempre existe un obstáculo (en perenne remoción) entre lo que hace y lo es.

Este modo de verse y de ver la realidad como perenne e irresoluble conflicto (lo que debe entenderse no como que el conflicto es siempre el mismo, sino como que cada conflicto es sustituido por uno nuevo) se manifiesta de múltiples maneras. Una de las más impresionantes es aquella en la que adopta el papel de Juez y declara (en forma de evasión, como quien indica cómo la realidad debiera ser, a fin de alcanzar felicidad o armonía consigo mismo) que lo que acontece está sujeto a las reglas de la razón. Pero al hacerlo, como sucede cuando reclama una carta que acaba de certificar para María en el Correo Central y que se narra a continuación, no puede Castel escapar al carácter problemático de la realidad y presenta el imperio de la lógica no como hecho, sino como *desideratum* que se opone a la realidad y que se presenta como su "debe ser":

> *La empleada.* —No hay nada que hacer. El reglamento es terminante.
> *Juan Pablo.* —El reglamento, como usted comprenderá, debe estar de acuerdo con la lógica —exclamé con violencia, mientras comenzaba a irritarme un lunar con pelos largos que esa mujer tenía en la mejilla.
> *E.* —¿Usted conoce el reglamento? —me preguntó con sorna.

J. P. —No hay necesidad de conocerlo, señora —respondí fríamente, sabiendo que la palabra *señora* debía herirla mortalmente.

Los ojos de la harpía brillaban ahora de indignación.

J. P. —Usted comprende, señora, que el reglamento no puede ser ilógico: tiene que haber sido redactado por una persona, no por un loco. Si yo despacho una carta y al instante vuelvo a pedir que me la devuelvan porque me he olvidado de algo esencial, lo lógico es que se atienda mi pedido. ¿O es que el correo tiene empeño en hacer llegar cartas incompletas o equívocas? Es perfectamente claro y razonable que el correo es un medio de comunicación, no un medio de compulsión: el correo no puede *obligar* a mandar una carta si yo yo no quiero.

E. —Pero usted lo quiso —respondió.

J. P. —¡Sí! —grité— ¡pero le vuelvo a repetir que *ahora no lo quiero!*

En esta larga cita —tan rica en significado— se nos revelan varias cosas. No sólo ya el canon general de que toda realidad debe estar sometida a la razón, sino también y sobre todo que este requisito es vital para Castel — en ello le va la vida al personaje, como puede verse en la identificación del presunto autor del reglamento de correos con una persona normal, con un alguien que no es un loco. Presiente que la realidad o es racionalidad (cordura) o ilogicidad (locura), y tiene que optar entre los extremos del dilema, ya que su vida es una u otra. Además, es importante notar que el conflicto —o mejor la realidad que se manifiesta como conflicto— no es meramente intelectual o sentimental. Es un conflicto que le nace a Castel de la totalidad de su persona, de sus últimas raíces, lo cual se nota no sólo en la idea expresa de que en la opción le va la vida, sino también y sobre todo —desde un punto de vista literario— en la forma verbal en que expresa el conflicto. Esta forma puede reducirse a dos elementos:

A) El conflicto se presenta en una serie de alternativas: cordura o locura, racionalidad o ilogicidad, finalidad o gratuidad, libertad o compulsión, las cuales se resuelven mediante una proyección vital de toda la persona de Castel: la realidad no es como aparece, sino como debe ser; más aún: la realidad ha de ser *forzada* a ser como yo quiero (el último e irreductible *"ahora no lo quiero"*) y no puede ser en contra de mi libre voluntad.

B) La caracterización de la empleada sirve a Sabato no sólo para acentuar la postura del protagonista, sino también para lograr retóricamente el descrédito de la que es ahora su "enemiga". Véase, por ejemplo, la técnica de hacer aparecer desagradable (el pasaje del lunar) o ridícula (lo del epíteto de *señora* a la solterona) o malvada (lo de harpía) o imbécil (el recurso del reglamento) a la opositora.

Como ya se ha indicado, la secuencia temporal de los hechos y decisiones e interpretaciones de la vida de Castel no es una serie natural, es decir, lo que ha acontecido no es mero pasado y la existencia de lo pasado no es la de simple antecedente de lo presente y de lo futuro. Todo lo que acontece en el tiempo vital escapa a la simple sucesión de fenómenos naturales:

> No sé cuánto tiempo pasó en los relojes, de ese tiempo anónimo y universal de los relojes, que es ajeno a nuestros sentimientos, a nuestros destinos, a la formación o al derrumbe de un amor, a la espera de una muerte. Pero de mi propio tiempo fue una cantidad inmensa y complicada, lleno de cosas y vueltas atrás, un río oscuro y tumultuoso a veces, y a veces extrañamente calmo y casi mar inmóvil y perpetuo, donde María y yo estábamos frente a frente contemplándonos estáticamente, y otras veces volvía a ser río y nos arrastraba como en un sueño a tiempos de infancia y yo la veía correr desenfrenadamente en su caballo, con los cabellos al viento y los ojos alucinados, y yo me veía en mi pueblo del sur, en mi pieza de enfermo, con la cara pegada al vidrio de la ventana, mirando la nieve con ojos también alucinados. Y era como si los dos hubiéramos estado viviendo en pasadizos o túneles paralelos, sin saber que íbamos el uno al lado del otro, como almas semejantes en tiempos semejantes, para encontrarnos al fin de esos pasadizos, delante de una escena pintada por mí, como clave destinada a ella sola, como un secreto anuncio de que ya estaba yo allí y que los pasadizos se habían por fin unido y que la hora del encuentro había llegado. (Pág. 114).

Precisamente es en esta cita donde se encuentra el sentido total de la novela expuesto de una manera sintética (o quizá no sea sino el sentido total del protagonista). Para captarlo es necesario analizarla en detalle, pero siempre teniendo presente lo siguiente: la vida es secuencia temporal para sí misma, es decir, todo lo que pasa me pasa a mí como mío y queda pues en su coordenada temporal como "lo mío" y, por consiguiente, como algo abierto siempre a reevaluación y reinterpretación (y esto, sobre todo, porque *lo mío* —que es todo lo de mi vida— no debe entenderse estáticamente, es decir, como algo que —una vez apropiado— es ya de mi pertenencia de una vez por todas. No, el proceso de apropiación es incesante e interminable: todo lo que "es" mío o "ha sido" mío está sujeto a hacerse mío una y otra vez desde distintos niveles, desde diferentes puntos de vista, desde diversas coordenadas temporales, desde otros talantes o sentimientos vitales). Con esto presente, pasemos al análisis del texto:

A) Es de rigor destacar la manera especial en que Castel opone el tiempo objetivo al vivido. El tiempo objetivo (o mejor, la serie encadenada de sucesos) nada tiene que ver con el que vive (sino con los relojes, que lo manufacturan o segregan por así decirlo), que no es suyo, pues nada de lo que hay en una vida así estructurada puede decirse que le pertenece (y, por consiguiente, ni siquiera la vida es mi vida, es solamente la vida, que empieza, transcurre y termina, y que entonces sólo me sobreviene, pero que yo no me apropio; la vida me es ajena porque su propia sustancia es anónima, de nadie en particular y universal, de todos en general). El tiempo vivido, por otra parte, no es universal —hay tantos tiempos como ciclos temporales individuales haya; el tiempo no es anónimo, pues, sino mío.

B) ¿Y qué hace al tiempo ser tiempo mío? En primer lugar, y como ya dijimos, no hay tiempo universal y anónimo (a menos que sea como abstracción y concepto). Pero, ¿qué quiere decir esto? Para que algo me sea o sea mío es menester que me lo apropie. El tiempo viene a ser apropiado no sólo como cuestión fundamental, a saber, como la conexión de la serie de lo que me acontece y que yo asumo, sino porque se estructura en multiplicidad de tiempos míos. Hay el tiempo que adquiere su sentido temporal como *formación* (de un amor) o como *derrumbe* (de un amor) o como *espera* (de mi muerte). El tiempo vivido se constituye y se colora a base de "nuestros sentimientos", en función de "nuestros destinos".

C) Es ésta la razón por la cual el verdadero y fundamental tiempo, mi tiempo, no es una sencilla magnitud que se determina unidimensional y univectorialmente. Mi tiempo es una "cantidad inmensa y complicada", con diversos niveles y proyecciones. En rigor, lo que hay son os tiempos míos y la trabazón entre accidental y determinada de esos tiempos.

D) La fundamental complicación del "tiempo mío" se manifiesta en lo que nos dice Castel: as "vueltas atrás". Nada de lo transcurrido es lefinitivamente mío; como ya se indicó, el proceso de apropiación es un proceso infinitamente abierto. La apropiación es más bien una infinita ecuperación que consiste en revalorar, reexaminar, retomar lo que ha pasado desde puntos de vista, sentimientos, actitudes distintos a los originales en que aconteció. Pero "lo pasado mío" no es simplemente esa relación con el presente y con el futuro. Es también cantidad: determinación de cuánta: es mucho, es poco; aún más: es ntenso, es débil. O en palabras de Sabato "es oscuro y tumultuoso a veces, y a veces extrañamente calmo y casi mar inmóvil y perpetuo". Pero aun la determinación cuánta es desde un alante o sentimiento o punto de vista que trata le apropiarse el acontecimiento: ya sea cuando ocurre o desde ahora (lo cual es decir, desde el uturo que interpreta mi pasado en el momento).

E) Es de interés ver cómo Sabato emplea aquí una imagen clásica para presentar intuitivamente la intensidad del tiempo; nos dice: río, oscuro, umultuoso, nos arrastra. En esto se ofrece la ertiginosidad intensísima de la pasión que fluye. Las imágenes de "los cabellos al viento" y le "los ojos alucinados" no hacen sino acentuar la intuición del caso. Por otro lado, para manifestar la intensidad mínima, el tiempo que casi se anula en el instante, el tiempo que es casi imagen de la eternidad, una casi total apropiación o posesión o recuperación, como diría Boecio: *aeternitas est interminabilis vitae tota simul et perfecta possessio*, Juan Pablo emplea frases que en su ritmo expresan esas intenciones: "casi mar inmóvil y perpetuo" (que yo me atrevería a acentuar a tres golpes, en "mar", "mo-" y "pe-") y "estábamos frente a frente contemplándonos estáticamente" (que sugiero que se acentúe en "tá-" "fren-" (dos veces), "plán-" y "tá-"; esta última frase posee dos refuerzos externos al ritmo: uno de rima (interior, consonante en "ente") y otro ideológico, la noción plena de inmovilidad e instantaneidad de "estáticamente")

F) Hay una comparación muy interesante entre el tiempo intensísimo (ligado pues y hasta explícitamente con la pasión y el sentimiento) y el sueño. Ambos, el recuerdo de lo que aconteció (tiempo intensísimo) y la imaginación de lo que aconteció (el sueño), son instrumentos de recuperar el pasado. Sobre el caso del sueño ya volveremos; baste indicar aquí que este medio nos permite recuperar no sólo nuestro pasado desde un cierto ángulo, sino también imaginar ese otro tiempo que en el pasado fue contemporáneo nuestro, pero que, en aquel momento y aun ahora, aunque el otro lo rememore junto a nosotros, nos es fundamentalmente inasequible. El pasado del otro nos es irrecuperable, en grado y calidad aún más fuertes al otro mismo. En este caso, Juan Pablo ha decidido hacer esto más que evidente, pues no sólo nos habla del sueño como medio de alcanzar el pasado del otro en una época anterior y contemporánea nuestra, sino que lo hace cuando Juan Pablo y María aún no se conocían y de hecho no podían ni siquiera verse contemporáneos.

G) Este es precisamente el tema que se propone Castel a continuación. No sólo hay una multiplicidad de tiempos en mi vida, sino que el "sistema" de esos tiempos (en infinito proceso de recuperación y reinterpretación desde el futuro en el momento) y que es la vida de cada cual se constituye en elemento de otra multiplicidad. Es una multiplicidad de otros, de vidas separadas, de "pasadizos y túneles paralelos", de "almas semejantes en tiempos semejantes" que permanecen fundamentalmente ajenos, ya que no participan del mismo tiempo o tiempos, o sea, de los mismos sentimientos, destinos, actitudes. Sólo ocasionalmente, en ciertos momentos decisivos y para ciertas almas *à deux* se funden transitoriamente los tiempos (como en la comunión de María y Juan Pablo a través de la escena del cuadro). En ese pasaje queda, pues, no sólo explícito el sentido del personaje y de su tiempo, sino también la justificación del sentido y del título de la novela.

La primera vez que en *El túnel* se nos habla

del tiempo es en el primer capítulo. Y ya allí, aunque en aproximación todavía externa, se hace de modo que el tópico de la recuperación quede sugerido: "... la memoria es para mí como la temerosa luz que alumbra un sórdido museo de vergüenza". Castel ya nos habla allí del vivir como recordar y del recordar como un acto de selección, como un mirar y un transformar lo pasado desde un punto de vista: "me caracterizo por recordar preferentemente los hechos malos". Y nótese que, aun cuando esto es cierto de todo recordar, lo subraya haciendo *temático* lo de la recuperación y lo de la interpretación.

El recuerdo de la infancia, a que ya nos referimos a través de la cita en conexión con el sueño como instrumento, aparece también desde el principio de la novela. Allí parece ligado a otra dimensión de la temporalidad de la vida, lo que pudiera llamarse la tópica encarnación de la fundación general que permite a la vida ser temporal y recuperarse e interpretarse a sí misma. Llamemos a esa función con el nombre genérico de fantasía, que ha de entenderse como el poder de descubrir posibilidades en el tiempo, aun para lo ya irremediablemente acontecido. La fantasía incluye, como sus tres momentos mutuamente implicados e implicantes, a la imaginación (descubrir de posibilidades en el aquí y ahora), la anticipación (descubrir las posibilidades o lo que se puede hacer con las dimensiones descubiertas para el aquí y ahora por la imaginación) y el recuerdo (la reinterpretación de lo acontecido desde la imaginación y la anticipación). La imaginación es la temporalidad del presente, la anticipación la temporalidad del futuro y el recuerdo la del pasado. Así Castel nos dice que cuando él era chico "no imaginaba que mi madre pudiese tener defectos", (imaginación). Un poco más adelante, y en una muy complicada instancia de recuerdo (pues consiste en recordar una imaginación), nos dice también: "Pero recuerdo, en sus últimos años, cuando yo era un hombre, cómo al comienzo me dolía descubrir debajo de sus acciones un sutilísimo ingrediente de vanidad o de orgullo". [1]

[1] Compárese esto con lo del uso que hace Castel del sueño como órgano de recuperación del pasado (hasta del pasado absoluto o no vivido). Nos dice allí Juan Pablo que el tiempo "nos arrastraba como en un sueño a tiempos de infancia y yo la veía [a María] correr desenfrenada en su caballo..." Es éste un caso muy complicado. Debemos preguntar: ¿a cuál de las tres relaciones temporales pertenece? Con toda evidencia parece ser una recuperación del pasado desde el presente; parece no ser, por tanto, imaginación sino recuerdo. Pero, ¿es posible tener un recuerdo de lo acontecido? Un indicio de que en efecto es éste un caso de imaginación lo encontramos en el uso que hace Castel del verbo *ver* ("yo la veía"), el cual sería inaplicable a menos que María estuviera siendo experimentada como presente. Quizá podamos decir, entonces, que el sueño sea un caso de imaginación en el sentido aquí definido, pero de por sí extrañísimo, ya que consistiría —si así fuese— en imaginar del pasado lo que no fue *estrictamente* contemporáneo mío, es decir, vivido en mi compañía. Sería un revivir lo estrictamente co-presente o co-posible del hecho pasado. Si esta definición puede o no ampliarse (para incluir el vivir, lo co-presente, como virtualidad —imaginación *sensu stricto*— o lo co-presente a lo que aconteció desde el punto de vista y la emoción presentes —el recuerdo— o lo co-presente como virtualidad inconcreta e irrealizada —el futuro o la anticipación— es cuestión que no podemos decidir aquí. Para inten-

A otro ejemplo de imaginación es al que acude cuando deja de razonar. Se dedica a imaginar cómo es el rostro de María, cómo es su mirada, su "forma profunda y melancólica de razonar". De primera intención, nuestra interpretación parece ser totalmente errónea, ya que evidentemente "imaginar" significa aquí recordar. En verdad, el elemento temporal del recuerdo está aquí presente en no desdeñable medida; podría hasta decirse que es lo que constituye la temporalidad de este hecho. Pero no debe olvidarse, sin embargo, y en función del contexto, que su intención no es la del mero recordar, sino la de traer, vívida y real, la fisonomía de María ante sus ojos.

La imbricación de las dimensiones temporales puede verse en los siguientes pasajes de la carta que María le envió:

> *...vivir consiste en construir futuros recuerdos; ahora mismo, aquí frente al mar, sé que estoy preparando recuerdos minuciosos, que alguna vez me traerán la melancolía y la desesperanza.*

---

tar tal cosa sería menester analizar en detalle los sueños que emplea Sabato en esta novela: 1) el de la casa solitaria, como símbolo de María; 2) el de la transformación de Castel en pájaro; 3) el de catedral, y 4) el de Castel en la silla en una habitación sombría. Si la tentativa resultara con éxito, el sueño se convertiría en el instrumento universal para establecer la imbricación y la continuidad de las temporalidades de la vida.

(Nótese aquí cómo María está consciente de que los hechos de su vida presente, una vez transcurridos, se convierten en materia de recuperación —futuros recuerdos— y la reinterpretación —la melancolía y desesperanza—) .

¿Has adivinado y pintado este recuerdo mío
o has pintado el recuerdo de muchos seres
como tú y como yo?

(Véase en estas líneas un pasaje de extremísima complicación. María se refiere aquí, y a la vez, a un suceso común a la vida suya y a la de Juan Pablo: la experiencia del cuadro en la exposición —claramente, y en este sentido, hay aquí recuerdo—, y a un suceso presente de la vida de María que ha quedado *anticipado* en el suceso pasado de la vida de Castel —la pintura del cuadro—. Lo que es recuerdo para ella es a la vez anticipación de su presente; desde el punto de vista de Castel, el pintar aquella escena era ya doble anticipación: la de la comunión con ella y la de los sucesos junto al mar en la vida de María) .

Otro ejemplo de imaginación, es decir, de interpretación de un hecho que acontece consciente y contemporáneamente con nosotros, es el siguiente: "Tuve una rara intuición: encendí rápidamente otro fósforo. Tal como lo había intuido, el rostro de María sonreía. Es decir, yo no sonreía, pero había estado sonriendo un décimo de segundo antes / Rastros de una sonrisa /". Las palabras intuición o intuido son esenciales aquí, pues indican que hay aquí una interpretación inmediatamente dada —con el fenómeno, la experiencia de María en la oscuridad—, de modo que lo posible y lo co-presente se nos ofrecen también. El problema de la verdad o de la falsedad de la interpretación imaginativa ciertamente no hace al caso.

En otro pasaje de gran complejidad, Castel nos vuelve a insistir en la imaginación, cuando nos dice: "Y lejos de producirme alegría, me entristecía y desperanzaba, porque intuía que esa forma [de la sensualidad de colores y olores] de María me era casi totalmente ajena y que, en cambio, de algún modo debía de pertenecer a Hunter o a algún otro". Aquí se combina la imaginación o intuición de lo presente con otras dos dimensiones: en primer lugar, la evaluación de lo que se experimenta (tristeza, desesperanza); en segundo lugar, la interpretación de lo real presente mostrando lo co-presente que irremediablemente no puede hacerse contemporáneo, a saber, la evaluación de esa forma de María y la impresión de esa forma de María en otros. El tema de *El túnel* se subraya aquí.

Pero quizá lo más importante del anterior pasaje es que sigue a esta declaración consciente y temática de Castel sobre *sí mismo*: "tengo una sensualidad introspectiva, casi de pura imaginación...". Nos permite esta proclamación no sólo entender las líneas que siguen, sino comprender la naturaleza de la imaginación como dimensión temporal (y ver que Castel sabe esto de sí mismo). La imaginación no es pues pura sensación o percepción, sino consideración o mostración inmediata de las posibilidades y virtualidades, de lo física, moral y espiritualmente dado con lo sentido en tanto que co-presente.

Puede verse con claridad en qué consiste la unidad de *El túnel*, a saber: en la unidad del protagonista. Mas, ¿en qué reside la unidad del protagonista? Reside en la unidad de su vida, la cual no es otra que la incesante imbricación de las tres temporalidades en la incesante (y, dada la personalidad especial de Castel, en la apasionada y angustiosa) trama de recuperaciones e interpretaciones de hechos pasados, presentes y futuros. Lo que yo he llamado la estructura imaginativa o, para hacer nuestra terminología más rigurosa y consistente, la estructura fantástica de Juan Pablo Castel es lo que da la unidad de despliegue y de despliegue emocional, intenso e incesante a esta novela de Sabato. *El túnel* es, pues, una tentativa de hacer manifiesta la estructura fantástica de un hombre, y, al así lograrlo, se constituye como novela de la vida de un hombre y de todo hombre en general (lo que ya de por sí, en las temáticas consideraciones del protagonista sobre la soledad y la incomunicabilidad radicales, resulta paradójico).[2]

[2] Una investigación de esta especie debe permanecer, en los límites asignados, irremediablemente incompleta. Para lograr entender a cabalidad y en toda su concretez la estructura imaginativa de este protagonista, sería menester emprender análisis muy detallados de muy variadas cuestiones. De más está decir que esto no nos es posible aquí. Pero a fin de que se sepa en qué consisten tales análisis, pasamos breve revista a los puntos esenciales que habría que tratar:

A) *La obsesión y la angustia de interpretar y de reinterpretar los actos de otros en búsqueda de sus motivos* (Cf. págs. 14, 24, 31, 48, 52-53, 57-59, 60, 61-62, 73-75, 78-80, 102, 111, 119-120, 135, 145).

B) *El problema de la soledad radical:*

a) Posibilidad de la comunicación (Cf. págs. 15, 83, 85-86, 95)

b) La mutua comunicación es única —el tópico de la escena del cuadro (Cf. págs. 16, 28, 43-47, 64-65, 113, 140, 150).

c) Planear imaginariamente los encuentros (Cf. 18, 27, 37, 38-39, 42, 49, 60, 82, 96; véanse también págs. 17, 25-27, 34-36, 43).

d) La disolución de la realidad del otro en tipos (Cf. pág. 20).

C) *Lo dado y su interpretación:*

a) Posibilidad real (dada, co-presente *sensu stricto*) y posibilidad virtual (imaginaria y anticipada): Cf. págs. 27, 30, 31-33, 40, 67-68, 96, 108-109.

b) Interpretación de un hecho real (imaginación): Cf. 64, 106-107, 116-118, 134, 139, 141-142, 144.

D) *Los sueños como símbolos del tiempo y como instrumentos de acceso a las temporalidades.*

II

La estructura y la problemática existencial de "El túnel" de Ernesto Sabato

Marcelo Coddou.(Universidad de Concepción, Chile)

La estructura de *El túnel* es la propia de la novela contemporánea. Según han observado teóricos e historiadores de la literatura, a las variaciones de la sensibilidad corresponden necesariamente mutaciones en la estructura de los géneros y cada cambio tiene el sentido de una crisis que altera contenido y continente y no significa desaparición de uno u otro aspecto.

No puede, por ello, hablarse ni de *decadencia* ni de término de la novela, como lo han hecho T. S. Eliot y Ortega. Tampoco es posible sostener que la narrativa actual carezca de "forma", ya que en toda obra tendrá que haber necesariamente cuidadosos procedimientos constructivos; como dice Anderson Imbert "la novela cambia de formas, pero no las pierde". Básicamente es el mismo pensamiento de Kayser, para quien la novela seguirá existiendo bajo una "forma renovada". Análogo es el enfoque que Baquero Goyanes ofrece en un excelente ensayo suyo, *Proceso de la novela actual.*

Kayser y Castellet, entre otros muchos teóricos, han aclarado esta idea de que las alteraciones del sistema preferencial de la sensibilidad y la idea del hombre se manifiestan necesariamente en la producción literaria: variando la concepción del mundo y del hombre, varía también la imagen que lo representa y por ello se ha de adoptar nuevos procedimientos expresivos. Sólo desde un criterio histórico pueden explicarse las características que individualizan la narrativa de nuestros días, que no son sino el resultado del complejo cuadro de circunstancias culturales y sociales en que la literatura se enmarca. En efecto: una concepción burguesa de la vida que, como dice Sartre, se define por poseer un espíritu analítico, determinó que en la novela del siglo XIX el punto de vista *narrativo* —una de las tantas formas de que se reviste el género— fuese siempre el del autor, considerado como ser superior que domina en forma absoluta su material (personajes, acción). En cambio, cuando el mundo burgués se quiebra, el creador literario adoptará necesariamente un enfoque narrativo diverso: impedido de mantener una posición absolutista y autoritaria, va progresivamente autoeliminándose. Así, según la tesis de

Castellet, en la actualidad se está produciendo una eliminación radical de la presencia del autor en sus obras, hasta el punto de poder afirmarse que la presente es "la hora del lector".

Este fenómeno ha determinado, por otra parte, el predominio en la narrativa de los últimos años de técnicas hasta entonces inexistentes o escasamente cultivadas: todas muestran los cambios de posición del narrador frente al mundo que crea. Se señala entre esas técnicas "el relato en primera persona", el "monólogo interior" y "las narraciones objetivas".

Nos parece realmente válida la observación de que la novela decimonónica posee un carácter analítico y que está *dominada* en absoluto por el autor debido a los postulados básicos en que descansa la concepción burguesa de la existencia. Es por ello que el autor podía realizar excelentes disecciones y reconstrucciones psicológicas de los personajes. Así nos podemos explicar que comente y dirija la lectura, pues se ubican en un plano de neta superioridad. Es justamente esta falsa "superioridad" la que va a quebrarse y con ella quedará limitada la capacidad cognoscitiva del narrador, lo que determinará —según lo señala agudamente Kayser— variantes estructurales de la novela que significan pasar de la narrativa tradicional a la contemporánea: se rompen los modos naturales de relación entre narrador-narración-lector-mundo. El autor no domina ya con su personalidad el mundo narrativo que presenta, deja de ejercer imperio absoluto sobre él y el modo narrativo se hace presentativo y, en casos extremos, estrictamente objetivo, como en los experimentos emprendidos por la escuela de Allain Robbe-Grillet que da plena autonomía a los objetos y suprime toda psicología. La novela contemporánea por eso ya no comenta ni explica, sino que, como "arte de elipsis", se limita a mostrar, presentar y construir.

Ortega en sus "Ideas sobre la novela" señaló ya en 1925 este proceso de objetivación, al decir que "de narrativo o indirecto se ha ido haciendo descriptivo o directo. Fuera mejor decir presentativo".

Abandonada toda posibilidad analítica, el novelista describe desde fuera las situaciones, sin comentar, juzgar ni recomponer la conducta de sus personajes; no prevé ni adelanta hechos y sólo presenta "al desnudo". Sartre desea llegar a crear una novela en la que el lector jamás sea guiado por el novelista.

Por lo anotado hasta aquí, podemos ver que llegaremos a captar el sentido cabal de la novela actual si analizamos los diversos "puntos de vista narrativos" que ella ofrece. Roman Ingarden fue quien centró las preocupaciones críticas en consideraciones sobre el "punto de vista". Este concepto abarca una multiplicidad de matices: el de la "perspectiva pictórica", como en Homero; el de una clara "intención vitalizadora de la curiosidad", como en *Las Mil y Una Noches;* el de la "omnisciencia épica" según puede notarse en la novela tradicional; el del "relato múltiple" como lo ofrecen Faulkner y otros neorrealistas norteamericanos, etc.

Entre las técnicas del manejo del punto de vista que hoy alcanzan mayor vigencia y divulgación están "los relatos en primera persona", "el monólogo interior" y "las narraciones objetivas", indica Castellet. Todas estas formas son cultivadas actualmente por los narradores de Hispanoamérica, y a veces con gran maestría. Basta recordar unos pocos ejemplos ilustres: monólogo interior aparece en obras de tanta significación como son *El Señor Presidente* de Asturias, *La región más transparente* de Carlos Fuentes, *Al filo del agua* de Agustín Yáñez, *La tierra pródiga* del mismo Yáñez y *Sobre héroes y tumbas* de Sabato.

El modelo indudable de todas estas obras es el *Ulyses* joyceano que termina con la inmensa frase que va reanudándose sin acabar jamás: el interminable monólogo que se cuenta a sí misma Marión Bloom —la mujer de Leopold Bloom— entre el momento en que su marido la ha despertado y aquel en que se vuelve a dormir: su discurso no está puntuado ni formulado y apenas articulado. Es un esfuerzo admirable de descripción de la corriente de la conciencia. Conocido es el partido que Faulkner supo sacar de semejante procedimiento en *El sonido y la furia.*

No estará de más que, a modo de paréntesis y como respaldo para enjuiciar su empleo por Sabato en *Sobre héroes y tumbas,* anotemos que con este procedimiento el novelista dispone de un instrumento de asombrosa variedad que explora ágilmente uno tras otro todos los niveles de sus personajes; es una real conquista destinada a lograr con una fidelidad de la que el siglo XIX nada sabe, íntimas aproximaciones a las raíces más secretas de los personajes, superando así la mayor hondura que pudo conocer la novela psicológica tradicional. Si autores de América como los citados han podido emplear el procedimiento con notable logro artístico, nos parece que mal puede hablarse, como lo ha hecho Manuel Pedro González, de una "proyección infecunda de Joyce". Loveluck, en un estudio suyo en que analiza tres ejemplos de la nueva gran novela americana del período tan rotundamente negado por el cubano —los tres últimos lustros—, destaca cómo, "junto a renovaciones de contenido, ellas son portadoras de valiosas experimentaciones factuales, que no merecen nuestro, a veces, desdeñoso desconocimiento". La postura del ensayista chileno, análoga a la de Fernando Alegría y otros, es la aceptable —nos parece— y concuerda con lo que hemos sostenido líneas atrás de que a realidades diferentes corresponden diversas formas de relato. Como dice Miguel Butor:

el mundo en el cual vivimos se transforma con gran rapidez. Las técnicas tradicionales del relato son incapaces de incorporarse todas las nuevas aportaciones así originadas (*Sobre literatura*).

Con un pensamiento muy semejante al de Sabato, Butor sostiene que la búsqueda de nuevas formas novelescas que logran un mayor poder de concentración tienen una triple función: la de "denuncia", "exploración" y "adaptación" *en relación con la conciencia que tenemos de la realidad* y, por eso,

> la invención formal de la novela, lejos de oponerse al realismo como imagina demasiado a menudo una crítica miope, es la condición sine qua non de un realismo más a fondo (*id*).

Y este tipo de realismo es el pretendido por la novela actual, tanto de Europa, los Estados Unidos como de Hispanoamérica.

Lo que naturalmente con criterio estético no podemos aceptar es la novela "de laboratorio", aquella realizada casi matemáticamente, donde el hombre y su accionar constituye mero pretexto y no causa. Baquero Goyanes ve *en este tipo* una novela deshumanizada, "aquella en que el narrador se ha servido de unos lances y de unos seres, no por sí mismos, sino sólo en función del virtuosismo técnico que le permiten manejar". El estudioso español sostiene: "la técnica podrá ser todo lo compleja y refinada que se quiera, pero nunca podrá perder *su carácter funcional,* bajo pena de rebajar o de escamotear totalmente la calidad 'hermética' de la novela".

Además del empleo de la técnica del monólogo interior —ausente en *El túnel,* pero utilizada con real maestría en *Sobre héroes y tumbas*— el autor puede echar mano, según decíamos, a otras como el de las "narraciones objetivas" y las del "relato en primera persona".

Sabato niega el "objetivismo extremo" cuando se le emplea como método único, pues al utilizarlo así "se sacrifican la verdad y la profundidad". Para no extendernos en sintetizar lo que nuestro autor piensa sobre Robbe-Grillet y su escuela, nos limitamos a remitir al lector interesado a los ensayos de Sabato al respecto, contenidos en su libro *El escritor y sus fantasmas,* de 1963.

En lo referente al empleo de la técnica del punto de vista, quisiéramos detenernos y hacer algunas consideraciones. La visión del mundo —subjetivo y objetivo— ofrecida por Sabato es, evidentemente, su propia visión que, como quedará demostrado, corresponde a la de un existencialista. Enfrentado al problema de objetivar esta visión se resolvió el autor por emplear la de "diario íntimo" en cuanto a la presentación externa. En lo que respecta a la forma interior utiliza predominantemente la perspectiva del "narrador-protagonista", rechazando otras posibilidades como las de un "narrador-omnisciente", un "narrador-observador", o un "narrador-testigo", por mencionar las señaladas por Anderson Imbert.[1] El novelista Sabato cede la palabra al protagonista Juan Pablo Castel, quien nos narra sucesos importantes de su existir a modo de una extensa introspección recordatoria.

Consultado Sabato sobre la elección de este "punto de vista" confesó haber llegado a él después de una serie de intentos fallidos.

> hasta que tuve la sensación... de que el proceso delirante que llevaría al crimen *tendría más eficacia* si estaba descrito por el propio protagonista, *haciendo sufrir al lector un poco sus propias ansiedades y dudas,* arrastrándolo finalmente con la 'lógica' de su propio delirio hasta el asesinato de la mujer.

Muy clara está la motivación del empleo de ese punto de vista: nace del deseo del autor de dar una mayor "eficacia" a su narración. Que el mundo externo —objetos y otros seres— al ser contemplado *desde* el protagonista se haga, como la mente de éste, ambiguo, impreciso, es un logro y no un defecto que pueda achacársele a la palabra: Borello aporta el dato que David Viñas —el autor de *Los dueños de la Tierra*— ha acusado a Sabato de ser el creador de personajes y ambientes ambiguos. Sabato sostiene que los hijos de la imaginación son tan ambiguos, incomprensibles y contradictorios como los seres rea-

[1] Anderson Imbert, *"Formas de la novela contemporánea"*. En: "Crítica".

les. Es interesante meditar hasta qué punto contribuye ello para que *El túnel* logre un mayor carácter "hermético", ya que exige una capacidad de aprehensión grande por parte del lector.

Si partimos de las conclusiones a que nos llevara la interpretación de la novela,[2] tendremos otro fundamento que justifique el empleo del punto de vista del "narrador-protagonista" elegido por nuestro autor. En efecto, si la pretensión del autor era penetrar hasta el reducto último de su personaje, ahondando en la condición humana, desentrañando sus limitaciones y sus absurdos; si ha querido mostrar los angustiosos anhelos de comunicación de los existentes que viven en un básico estado de solipsismo, nos explicamos que coloque a sus lectores en un yo que refiere su existencia y que desciende hacia sí mismo; la presentación del hombre, de la intimidad última del hombre, sólo es factible cuando nos adentramos en él.

Adoptada esta perspectiva llegamos a conocer mejor al protagonista, pues nos enteramos no sólo de su accionar externo y de lo que manifiesta a otros que con él dialogan, sino que también llegamos a saber lo que piensa y siente. Logra así esta novela cumplir con el "imperativo de autopsia" que señala para el género Ortega: "nada de referirnos lo que el personaje es: hace falta que lo veamos con nuestros propios ojos".

Partiendo desde el punto de vista de un "na-

[2] Ver lo que al respecto afirmamos más adelante.

rrador-protagonista", la novela alcanza una "estructura personal" y, por ello, se narran preferentemente los hechos del puro acontecer interior, los hechos de conciencia, descritos así con una morosidad que produce el ensanchamiento temporal. El autor selecciona sus preferencias y hace, muy al pasar y sólo con un sentido funcional, consideraciones ambientales, para abandonarse a una reiterada presentación de las instancias significativas de la intimidad de la conciencia del protagonista cuyos sucesos internos y desgarrados expone.

Piénsese en las diferencias que separan esta novela de las consideradas tradicionalmente como las típicamente representativas de la narrativa hispanoamericana. El contenido cósmico captado por éstas —las superregionalistas, las obras de la naturaleza— es opuesto al de *El túnel* y, por ello, se oponen también las formas con que ha sido captado.

Repitámoslo: el mundo expuesto en la novela que nos ocupa tiene como soporte el existir personal de un hombre que se vuelve reflexivamente sobre sí mismo. Los motivos que constituyen y configuran la perspectiva personal de su existencia son las modificaciones del temple de ánimo, los elementos hostiles de la realidad vital, las apetencias metafísicas y las frustraciones; básicamente, el anhelo de comunicación, el ansia por superar su esencial soledad.

Y esto viene a significar que todos los sucesos

que se narran acontecen en función del existir personal de Juan Pablo Castel, de ese su existir angustiado y auténtico: "la interioridad del personaje es el estrato que funda la estructura cerrada del mundo narrativo" de *El túnel,* análogamente a lo que sucede en *La última niebla* de la Bombal, según ha visto Goic.

Si consideramos que en novelas como ésta, de estructura personal, los momentos se van a ir articulando como aspectos de la existencia del protagonista, como elementos que componen su mundo personal, fácilmente nos podemos explicar que se actúe libremente en "cortes temporales y espaciales" de la secuencia. Ya no sucede como en la novela decimonónica, donde hay un modo de disponer los motivos en un orden abstracto: si la linearidad caracteriza toda novela representativamente tradicional, de tal modo que los acontecimientos se suceden en estricto orden cronológico, la novela contemporánea no respeta esa sucesión racional del tiempo: caso típico el de Faulkner.

Y nos enfrentamos así a la consideración de otra de las formas de que se reviste la novela: la "secuencia narrativa". También a este aspecto Anderson Imbert ha dedicado atención preferente en su ensayo citado:

> Hay una gran diferencia entre el proceso natural del mundo, tal como lo comprendemos con nuestra inteligencia, y el proceso narrativo que nos impone el novelista. Al proceso natural lo capta-

mos con ciertas categorías lógicas: situamos las cosas en el espacio, disponemos los acontecimientos en un tiempo abstracto, establecemos relaciones necesarias entre una causa y su efecto, etc. Pero *la novela no tiene por qué contar su asunto en ese orden racional.* El novelista, en un acto arbitrario de su imaginación, elige el principio y el fin del relato, y entre uno y otro arregla libremente los episodios... *La novela puede entrecruzar planos anacrónicos, interrumpirse con retrospecciones, invertir la sucesión temporal y hasta obliterar el tiempo.*

En *El túnel* hay una especial manera de alterar la secuencia narrativa. Desde el primer instante se nos da a conocer el final de la trama, el asesinato de una mujer, y todo el relato irá desenvolviéndose hacia la explicación de las razones que llevaron al protagonista a realizar ese asesinato. La "historia interna" de ese crimen es la novela y como para relatar esa historia el protagonista se sumerge en su propio "yo", el tiempo va a "subjetivarse", rompiéndose el estricto orden lógico de la presentación. Cumple así *El túnel* con otra de las características que para la novela contemporánea señala su autor en su ensayo ya citado:

> Al sumergirse en el yo, el escritor debe abandonar el tiempo cosmológico, el de los relojes y almanaques, pues el yo no está en el espacio sino que se despliega en el tiempo anímico que corre por sus venas y que no se mide en horas ni minutos sino en esperas angustiosas, en lapsos de

> felicidad, de dolor, en éxtasis... Este hecho es consecuencia de la rigurosa necesidad de verdad que acosa al novelista de hoy; el hombre y sólo el hombre es centro de su creación, y el examen y descripción de su realidad no pueden ser hechos sin grave falsificación, en un *tiempo que no es humano sino astronómico* (*El escritor...*).

Y si se habla de tiempo "humano" necesariamente se llega a un aparente desorden en la cronología de los hechos narrados. El ser humano —y las criaturas literarias tienen que alcanzar ese grado de plenitud — puede llegar a tener conciencia de la doble temporalidad posible: Juan Pablo Castel, cuando decide el último encuentro con María y la espera, reflexiona:

> No sé cuánto tiempo pasó en los relojes, de ese tiempo anónimo y universal de los relojes, que es ajeno a nuestros sentimientos, a nuestros destinos, a la formación o derrumbe de un amor, a la espera de una muerte.

A ese tiempo opone otro, el subjetivo:

> Pero de *mi propio tiempo* fue una cantidad inmensa y complicada, lleno de cosas y vueltas atrás, un río oscuro y tumultuoso a veces, y a veces extrañamente calmo y casi mar inmóvil y perpetuo.

Lo que ahora nos importaba destacar era cómo Sabato —gracias a los saltos en el tiempo a los que se ve conducido por su consideración de la *temporalidad humana*— logra captar mejor la tensión del lector, a quien hace titubear en su camino, pues ofrece la acción en toda su vital fluidez, muchas veces caótica, oscura. Los rompimientos temporales, eso sí, nunca llegan en *El túnel* hasta el punto de lo conseguido por Sabato en su segunda novela y quedan, por supuesto, muy lejos de lo llevado a cabo por Faulkner en este terreno.

Entre los muchos ejemplos concretos que podemos entresacar de la novela, sírvenos muy bien el que a continuación comentamos brevemente. Al final del capítulo III se nos ha indicado que la muchacha con la cual el protagonista ha creído encontrarse identificado[3] desaparece "perdida entre los millones de habitantes anónimos de Buenos Aires". El protagonista dice que en los meses siguientes sólo pensó en ella y en volverla a encontrar. Al comienzo del capítulo IV anota: "Una tarde, por fin, la vi en la calle". Ante esto podríamos esperar que nos refiriese cómo fue ese encuentro, continuando así con el desarrollo recurrente de la acción, pero lo que hace es totalmente diverso: ocupará páginas en contarnos lo que en su interioridad había sucedido en ese tiempo en que no la vio. Esto es, interrumpe el relato —que reanudará sólo en el capítulo siguiente, ocho páginas más adelante—

[3] Recordemos que la ha visto observar atentamente la importante escena del cuadro "Maternidad" en que Castel ha puesto toda su visión de la existencia.

llevado por la necesidad de referirnos algo para él mucho más importante y que es lo que ha acontecido en su interior durante los meses que dejó de verla. La secuencia narrativa no es continua porque lo exige así la "estructura personal de la novela". Importando lo relativo al personaje, a ello dedica con morosidad un largo tratamiento, produciéndose así un ensanche temporal en los hechos del puro acontecer subjetivo. Para el narrador era esencial mostrarnos en qué estado se debatía su protagonista cuando angustiadamente esperaba el reencuentro con la mujer que le posibilitaría el logro de la comunicación y *por ello* quiebra la secuencia cronológica y utiliza el "raconto".

Acciones breves pero intensas; acción interior preferida a la exterior. La morosidad que destacamos como presente en pasajes significativos y la velocidad en lo que es accesorio con respecto a la finalidad última, determina la *mayor intensidad* lograda en la novela. Se cumple así en *El túnel* con lo señalado por Ortega en sus *Ideas sobre la novela*:

> es un error creer que ésta (i. e., la "intensidad") se obtiene contando muchos sucesos. Todo lo contrario: pocos y sumamente detallados, es decir, realizados. Como en tantas otras cosas, rige aquí también el "non multa, sed multum". La densidad se obtiene, no por yuxtaposición de aventura a aventura, sino por dilatación de cada una mediante prolija presencia de sus menudos componentes.

Y eso es lo que hace Sabato: detenerse en los instantes para él fundamentales, y reiterarlos intensificando; avanza, por el contrario, con rapidez en lo secundario al propósito central.

Como lo dejáramos afirmado, el tratamiento del tiempo en la novela es uno de los tantos aspectos que pueden ser considerados en el análisis de la "actitud narrativa" en lo que se refiere a la relación del narrador con la materia de su objeto. Otro fenómeno que necesita ser considerado es el de la "anticipación" y que está estrechamente ligado al recientemente analizado por nosotros. Que *El túnel* no es una simple novela de celos y crimen es fácilmente demostrable y creemos poder hacerlo con cierto detenimiento en el capítulo siguiente del presente trabajo; pero aun podemos llegar a determinarlo partiendo de la estructura externa.

La novela policíaca —señala Kayser— perdería interés si al principio indicara el desenlace,

> Pero el interés del arte narrativo no es de naturaleza tan grosera y material como para sufrir por una indicación sumaria del desenlace. Un examen más minucioso de la técnica de la anticipación manifiesta que generalmente no se hace más que levantar un poco el velo, y sólo por un lado.

Así en el caso que analizamos: "sabemos —dice el narrador protagonista— que he dado muerte a alguien, pero lo esencial será llegar a determinar las circunstancias que me condujeron a ese crimen: cómo conocí a la mujer, cuáles fueron realmente las relaciones con ella establecidas y qué me determinó a obrar como lo hice" (no citamos textualmente). En la "anticipación" del desenlace de la novela vemos un medio empleado por el autor para tener plena certeza de que nosotros como lectores veremos recompensada nuestra plena adhesión a los personajes y acontecimientos. Desde el primer instante somos llamados los lectores a adentrarnos en la psiquis del protagonista y del deutoagonista, se nos exige compenetrarnos con la motivación de sus respectivos comportamientos y que ahondemos en el sistema de relaciones habido entre ellos.

Con los aspectos que hemos ido observando analíticamente tenemos una base cierta para considerar que la novela en su conjunto alcanza un "diseño" especial, de cuyo valor estético nos damos cuenta cabal cuando rehacemos su materia, prescindiendo de los artificios de la técnica empleada y observando cuál sería el orden lógico, racional de los acontecimientos. "Para ello yuxtaponemos los segmentos de la acción uno tras otro, en un tiempo abstracto: en ese tiempo físico, universal y falso que se mide con calendario y relojes:" [4] reducido el desarrollo de la acción a su máxima sencillez se obtiene la fábula de la obra, que es el nombre científico dado a ese esquema puro, lo que Aristóteles llamaba

[4] Anderson Imbert, ob. cit.

el "mythos". La fábula de *El túnel* es extraordinariamente simple, pero, además del profundo sentido que tiene la obra como intento de adentramiento en la hominidad, interesaba ver cómo con ella se ha diseñado una cabal creación artística, en que la distribución de las formas narrativas, al desviarse de la exposición meramente lógica del proceso, proporciona el valor estético de la novela.

No es el suyo un diseño tan complejo como el de *Sobre héroes y tumbas,* de cuyo análisis se sirve la profesora Ángela B. Dellepiane para demostrar

> La profundidad y riqueza de la novela, construida con las más modernas técnicas narrativas y reforzar con esta demostración la tesis de que la novelística hispanoamericana no siempre ha de ser específicamente regionalista, americanista, no necesita ser "telúrica", ni "exótica", ni recurrir a los gauchos ni a los indios para ser una gran literatura, madura, adulta, plenamente desarrollada, que puede hombrearse sin desmedro con sus hermanas "ricas", la novelística europea –principalmente francesa e inglesa– y la norteamericana ("Revista Interamericana de Bibliografía", vol. xv, 1965).

Aunque el juicio de la ensayista nos parece exagerado cuando concluye que *El túnel* es "clásico" y *Sobre héroes y tumbas* es obra "barroca" (en temas y estructuras), no podemos dejar de reconocer que es evidente la mayor simplicidad del diseño de la novela de 1948 comparada con el de la última, de 1961.

El túnel: una novela existencial

Esta consideración de que *El túnel* es una novela existencial, y que se nos impusiera desde el primer momento de lectura de la obra, de ningún modo es absolutamente original. Ha sido señalada por la crítica que se ha preocupado de la narrativa de Sabato, aunque jamás —que sepamos— con el suficientemente detenimiento probatorio de la especial modalidad que adquiere.

Edmundo Concha y otros ensayistas han formulado afirmaciones muy válidas al respecto, pero estimamos que se hace necesario adentrarse un poco más en la obra para constatar hasta qué punto pueden sus juicios sostenerse como seguros enfoques interpretativos.

De los ensayos que hemos podido consultar,[5] es el del profesor Borello el que nos parece más certero:

> *El túnel* es la novela de la soledad del hombre actual, expresada en la imposibilidad de comunicación y en la vaciedad del amor. Construida con gran economía de medios, ya eran visibles en ella algunas notas que en la última (i. e., *Sobre*

[5] Gracias a la generosidad de los investigadores del Instituto de Literatura Comparada hemos podido tener acceso al completísimo fichero que sobre el autor de *Heterodoxia* han ido conformando en estos últimos años.

héroes y tumbas) se han desarrollado y enajenado totalmente. Su personaje mostraba una oscura ambigüedad, que luego sería la característica central de su concepción de los personajes novelescos.[6]

Ha visto bien el profesor de la Universidad de Cuyo cuál es el motivo central de la obra, pero nosotros queremos ir más allá y observarlo en su dinámica composición, estudiar su "motivación".

Partimos de esas observaciones y de otras tan válidas como ésta de I. J. Ludmer:

> Sabato testimonia a Sabato; su pretensión de mostrar lo que sucede o sucedió resulta en la realidad mostración de su concepción del mundo, de lo que le sucede.[7]

Creemos, con el profesor Borello, que el "motivo" central o dominante de *El túnel* es la soledad e incomunicabilidad básica del hombre, elementos centrales de la cosmovisión de Sabato plasmada literariamente en la novela.

El motivo de la *soledad, desamparo e incomunicabilidad* del hombre ya frecuentemente cultivado en la narrativa contemporánea y que aparece con notable persistencia en todas las ma-

[6] Borello, Antonio R., *Sobre héroes y tumbas,* reseña en "Boletín Cultural", Madrid. Copia s. a. en el Centro de Investigaciones de Literatura Comparada de la Universidad de Chile.

[7] Iris Josefina Ludmer, *"Ernesto Sábato y un testimonio del fracaso",* en: "Boletín de Literaturas Hispánicas", Nº 5, Universidad Nacional del Litoral, Rosario, 1960.

nifestaciones humanas (filosóficas, literarias, artísticas) de nuestro tiempo, alcanza su desarrollo en una "composición" tal, que permite juzgar a *El túnel* como una de las novelas más representativas de la actualidad. [8]

Welleck y Warren aclaran este concepto de "composición":

> Lo que en inglés se llama la "composición" de la novela es lo que los alemanes y rusos llaman su "motivación". El término bien pudiera adoptarse en inglés por ser valioso precisamente por su doble referencia a la composición estructural y narrativa y a *la estructura interna de teoría psicológica, social o filosófica de por qué los hombres se comportan como se comportan, o sea, en último término, una teoría de la causalidad* (*Teoría Literaria*).

Es en este segundo aspecto en que insistiremos aquí: una observación del comportamiento de los personajes de *El túnel*, para desentrañar la razón última de ese obrar.

Motivación evidentemente existencialista, de raíz sartreana, es la que encontramos en el comportamiento de Juan Pablo Castel, protagonista —y narrador— de la obra. Su afán de dominio y posesión absoluta del ser amado y la destrucción por muerte de éste, sólo se aplica desde esa

[8] Estudio altamente interesante y que trata este punto con notable acierto es el de Norman Cortés *Hijo de ladrón*: una novela existencial, en "Revista del Pacífico", año 1, Nº 1, Instituto Pedagógico, U. de Chile, Valparaíso, 1964, págs. 33-50.

perspectiva. El amor que siente por María Iribarne presenta todos los rasgos que para ese sentimiento señala el autor de *La náusea.*

Sabido es que el tema de "el otro" —descubierto para la literatura sólo en nuestro tiempo, según lo ha señalado Sabato— es una de las conquistas básicas de la filosofía existencial que lo hizo centro de sus preocupaciones. La pasión por "el otro" atormenta enormemente a Jaspers y a Scheller, por ejemplo. El existencialismo atendió con profundidad a la naturaleza de las relaciones que unen una existencia con otra; consideró los peligros de la enajenación que amenaza al existente cuando toma en cuenta sus relaciones con los otros hombres sólo en el plano de la organización; vio el impacto que provoca en uno el contacto con el otro cuando este contacto es solamente de contenidos exteriores y no de las esencias de los seres que se relacionan. El existencialismo llega a concluir que entre los existentes hay abismos de soledad e incomprensión. Para los cristianos —Gabriel Marcel, por ejemplo— existe la promesa de una reconciliación; para los ateos, ese lazo de unión es conflictivo o de servidumbre y por ello consideran que la existencial auténtica sólo puede llegar a obtenerse partiendo del desamparo total.

Sartre ha sido quien ha llevado a cabo un análisis más detenido de la mala fortuna de la comunicación, y su pensamiento pareciera ser el que respalda como idea la imagen que Sabato ha creado en *El túnel*. Según Sartre, el esencial estado de solipsismo sólo puede evitarse en la existencia humana gracias al logro de una relación de ser a ser, de sujeto a sujeto. Y esto es justamente lo que intentará el personaje de la obra que ocupa nuestra atención: Juan Pablo Castel —un cabal "existente" según tendremos ocasión de comprobarlo— pretende lograr salir de su soledad básica entrando en contacto con María, un ser tan existente como él. Su ansia de ser entendido es absoluta, hay en él un afán imperioso de obtener una real comunicación.

El motivo que lleva a Juan Pablo Castel a escribir su historia es "la débil esperanza de que alguna persona llegue a entenderme. AUNQUE SEA UNA SOLA PERSONA". Grito angustiado que revela en el protagonista ese afán de comunicación a que aludíamos, su anhelo de ser comprendido, anhelo que persiste en él, aun después de dar muerte a aquella con quien estuvo más cerca de "comunicarse": conserva una esperanza, aunque sea débil.

María había aparecido en su vida cuando el pintor presenta en una exposición suya el cuadro llamado "Maternidad". Los críticos de arte observan los méritos que según ellos caracterizan la obra del artista; sin embargo, ninguno vio un pequeño detalle enormemente sugestivo según Castel:

> Pero arriba, a la izquierda, a través de una ventanita, se veía una escena pequeña y remota: una playa solitaria y una mujer que miraba el mar. Era una mujer que miraba esperando algo, quizá algún llamado apagado y distante. La escena sugería, en mi opinión, una soledad ansiosa y absoluta.

Para el pintor, el cuadro era portador de un mensaje, levemente esbozado, pero lleno de sugestión: la esencial soledad del hombre y su lucha ansiosa por lograr superarla. El cuadro era como una concretización artística de la visión de la existencia de Juan Pablo Castel. La escena a que alude no era, pues, ni secundaria ni decorativa. Sin embargo, hubo una sola persona que comprendió la esencialidad de ese aparente "detalle".

Se trata de una muchacha desconocida que mira concentradamente lo que para el pintor tenía tanta importancia: mientras tanto "él la observó todo el tiempo con ansiedad". Primer paso de las relaciones: lo que en ella le atrae es la posibilidad de encontrar lo que siempre ha anhelado, alguien que lo "entienda", alguien con quien llegar a la completa "comunicación". Por eso, después que la muchacha desaparece, Castel queda vacilando "entre un miedo invencible y un angustioso deseo de llamarla". El miedo nace del hecho de que la mujer se le presenta como la única escapatoria posible a su soledad vital. En simple imagen lo expresa:

> algo así como miedo de jugar todo el dinero de que se dispone en la vida a un solo número,

en que "el solo número" es la única persona que podía comprenderlo y la fortuna puesta en juego es su posibilidad del encuentro total.

Desde el instante en que la vio, "sólo pintó para ella", lo que en Castel viene a significar que la muchacha se constituyó en el soporte de su existir. Por eso hará todo lo posible por encontrarla y, cuando lo logra —después de desesperantes semanas—, ella necesariamente despertará en Castel un amor, pues se le aparece como un "sujeto" con el que la relación es posible. Pero ese amor tendrá características muy especiales, aquellas a las que aludíamos líneas atrás: es un amor de índole existencial.

En efecto, dada la posibilidad de salida del estado de solipsismo por el camino de la comunicación establecida entre sujeto y sujeto, está el peligro de que uno avasalle al otro transformándolo en "objeto". La salida radica en impedir esto venciendo en la brega o llegando con el otro al amor, que no es posesión sólo del cuerpo. Lo que se pretende, en una concepción existencialista, es poseer "una libertad": el amor nace, pues, del deseo del otro sujeto, del afán por que la libertad del otro quede como cautiva. Así pide Castel con respecto a María una vez que la ha encontrado —encuentro fortuito y fugaz el primero—; los sentimientos se mezclan en Juan

Pablo; al pensar que ella le había dicho que recordaba constantemente su cuadro, Castel afirma:

> mi corazón latía con violencia y sentí que se me abría una oscura pero vasta y poderosa perspectiva: intuí que una gran fuerza, hasta ese momento dormida, se desencadenaría en mí.

Ve a la mujer como una *perspectiva, poderosa y vasta,* de realización: sólo ella le brinda la posibilidad de dar salida a la enorme fuerza que latía en él. Más aún: notando que el reencuentro es imprescindible, se dice varias veces en voz alta: "eso es necesario, eso es necesario". Al día siguiente vuelve a encontrarla y por intuir lo que la muchacha podría significar en su vida, supera toda timidez e indecisión y obra con energía y entereza. Le dice, gritándole casi brutalmente, que la *necesita,* sin saber responderle con claridad por qué: "hasta ese momento no me había hecho la pregunta y más bien había obedecido a una especie de instinto". Le declara: "siento que usted será algo esencial para lo que tengo que hacer, aunque todavía no me doy cuenta de la razón". Cree que hay una esencial identidad entre ambos: "no sé lo que piensa y tampoco sé lo que pienso yo, pero sé que piensa como yo". Antes le había manifestado "mejor podría decirle que usted *siente* como yo". Y eso es lo que él anda buscando ansiosa, desesperadamente: la persona que adopte ante la existencia una postura análoga a la suya, lo cual le significará seguridad ante el caos, posible entendimiento y superación de la soledad básica. Deseando ese encuentro absoluto, todo lo que venga a postergarlo o a impedirlo definitivamente provoca en él estados de desesperación; y todo detalle que en cierta forma le indicara su entrega lo llena de felicidad. Así, por ejemplo, la primera carta que recibe de ella está firmada simplemente "María", por lo que Juan Pablo piensa: "esa simplicidad me daba una vaga idea de *pertenencia,* una vaga idea de que la muchacha estaba ya en mi vida y de que, en cierto modo, *me pertenecía".* Nótese los términos a que alude su relación con ella: "pertenecía". Este afán de posesión lo conduce a someter a María a enormes y complicados interrogatorios, pensando en hipotéticos engaños: le pregunta sobre sus silencios, sus miradas, sus palabras perdidas, sus viajes, sus antiguos amores, etc.

En algunos momentos él cree haber logrado esa ansiada posesión, lo que le permitía salir de la soledad. Pues bien, él no pudo resignarse jamás a tenerla incompleta y menos por breves instantes. Por eso dirá:

> ahora que puedo analizar mis sentimientos con tranquilidad siento que, en cierto modo, estoy pagando la insensatez de no haberme conformado con la parte de María que *me salvó* (*momentáneamente*) *de la soledad.*

En realidad esto no lo habría conformado nunca, ya que lo que él deseaba era la *salvación definitiva,* posible sólo en la comunicación total. De allí ese deseo suyo creciente de "posesión exclusiva" a que alude el mismo Castel.

Esta rápida revisión de momentos significativos de la obra nos hace ver la índole del amor de Castel por María. Comprenderemos mejor su indudable raíz existencialista con una cita de Mounier que resume el pensamiento de Sartre respecto al amor:

> El otro-objeto no es suficiente para despertar el amor; el amor sólo puede nacer del deseo del otro-sujeto (María en la novela). Es preciso (para obtener el triunfo) que la libertad del otro no sólo sea encontrada, sino que se convierta en mi cautiva... Yo deseo, en efecto, que el otro venga a quedar englutido en mi libertad y que lo haga libremente, puesto que quiero poseerle como libertad. Yo le pido, pues, ser objeto queriéndole a la vez sujeto. Además, para aprehenderlo como sujeto es preciso que yo sea objeto como él e incluso objeto fascinador. Pero instantáneamente yo (sujeto) dejo de aprehenderla como proyectaba. La rabia de esta impotencia puede llevarme a tratarme furiosamente como objeto, como un niño que se da manotazos o como el hombre que se injuria y se hunde en el fracaso; tal es la significación del masoquismo. [9]

[9] Emmanuel Mounier, "Introducción a los existencialismos". Madrid, pág. 106.

Lo que acontece al protagonista de *El túne* es justamente esto: su intento frustrado de pc sesión absoluta de María (el otro-objeto qu tiene también carácter de "sujeto" en la term nología existencialista) lo lleva a la desesper ción total, al "sentimiento de impotencia" y a "fracaso".

Vista la imposibilidad de comunicación an mica, viene el intento de comunión de los cue pos. Aquí el enlace con Sartre alcanza evider cia máxima. Sabato ve como característica de l novela contemporánea el "sentido sagrado d cuerpo":

> como el "yo" no existe en estado puro sino fata mente encarnado, la comunicación entre las alm es intento híbrido y por lo general catastrófi entre espíritus encarnados. Con lo que el sexo, p primera vez en la historia de las letras, adquie una dimensión metafísica. El derrumbe del ord establecido y la consecuente crisis del optimism ese famoso optimismo de la LOCOMOTORA y de ELECTRICIDAD, agudiza este problema y convier el tema de la soledad en el más tremendo de literatura contemporánea. El amor, supremo desgarrado intento de comunión, se lleva a ca mediante la carne; y así a diferencia de lo q ocurría en la vieja novela, en que el amor e sentimental, mundano y pornográfico, ahora as me un carácter sagrado. (*El escritor y sus fa tasmas.*)

Este pensamiento teórico, Sabato lo lleva una plasmación literaria en su novela.

¿Qué entiende Castel por "verdadero amor"? Él mismo no lo sabe explicar:

¿Qué quería decir? ¿Un amor que incluyera la posesión física? Jamás me preocupo excesivamente. Quizá lo buscaba en mi desesperación por comunicarme más firmemente con María.

La unión física como probable medio de encuentro de dos personas que intentan comunicarse. Esta es la concepción de Sartre: para el filósofo francés, una vez producida la frustración de aprehender la libertad esencial del otro "como tal libertad", nace el deseo de adherirla a su propia corporeidad y así atraparla. Para el existencialismo sartreano

la sexualidad no es una función contingente de mi cuerpo, sino una estructura necesaria de mi ser, un proyecto fundamental de mi tipo de existencia (Mounier, ob. cit., pág. 107).

Pero esa tentativa también conduce al fracaso: sólo se posee unos despojos y no al otro. "En su florescencia, la carne del otro me patentiza al otro como inaccesible". Esto es justamente lo que acontece a Castel con respecto a María:

Yo tenía la certeza de que, en ciertas ocasiones, lográbamos comunicarnos, pero en forma tan sutil, tan pasajera, tan tenue *que luego quedaba más desesperadamente solo que antes,* con esa imprecisa satisfacción que experimentamos al querer reconstruir ciertos amores de un sueño.

Si antes ha podido alcanzar la unión, ha sido sólo brevemente:

> Sé que, de pronto, mirando un parque en la tarde o la salida de un carguero de nombre remoto, lográbamos algunos momentos de comunión.

Pero esas sensaciones se acompañaban de melancolía, pues

> ella está seguramente cansada por la esencial incomunicabilidad de esas fugaces bellezas.

Insiste reiteradamente en la fugacidad de esos instantes de comunión; Castel desespera "por consolidar esa fusión" y la fuerza a la unión corporal. Pero

> sólo lográbamos confirmar la imposibilidad de prolongarla o consolidarla mediante un acto material.

Inténtase pues, según hemos ido observando, lo que podríamos llamar dos modos de acceso al "otro"; el anímico o espiritual y el físico. Ambos son avasalladores y posesivos. ¿Cómo explicarnos esta pretensión de Juan Pablo Castel? Creemos que se nos aclara desde una perspectiva existencialista.

Sartre se niega a concebir el ser-para-el-otro de otra forma que no sea la usurpación, el apoderamiento del bien y el avasallamiento de la persona (léese en *La Náusea*: "Nadie, para nadie Antonio Roquentin existe"). El mal que impide la comunicación de los existentes estará suscitando desde el propio "yo" que se encuentra ocupado consigo mismo, pues la angustia de ver sus haberes abandonados al tiempo, lo repliega celosamente sobre ellos; el que éstos puedan ser dilapidados o agotados al yo lo torna avaro de sí mismo; y es allí donde surgirá una cosmovisión acaparadora, "avarienta".

Por ello creemos que está en lo cierto Iris J. Ludmer al hablar de "el fracaso del amor" en la narrativa de Sabato. La ensayista ve como análogas la concepción de la mujer y la visión trágica y pesimista del amor en las dos novelas del autor. Dice Iris Ludmer:

> Los amores que crea Sabato no sólo son imposibles, tan ficticios y extraordinarios, que están condenados desde su nacimiento mismo (extraordinario también), sino que revelan una concepción del mundo sin esperanza, una soledad sin salidas.

Una "concepción existencialista negativa", agregaríamos nosotros.

Yendo un poco más al fondo, a la raíz misma del comportamiento de Castel, tratemos de explicar qué motiva su ansia de comunicación. La razón también la encontramos aquí claramente expuesta por la filosofía existencial.

El existente encuentra plenitud solamente cuando logra la comunicación con otro existente; el lazo establecido con objetividad, en un plano de relaciones meramente verbales, políticas o económicas, es válido sólo en la medida en que constituyen un paso hacia el encuentro de formas más elevadas. Asegurada la existencia personal y sabida la existencia del otro, nace el posible diálogo pleno y auténtico. Heidegger es de los existencialistas quien con más claridad afirma la comunión: según él, el ser humano es un "Mitsein", un "ser-con" y no solamente un "ser-para" como los objetos. Ahora, el estado de "Mitsein" no es ni permanente ni dado y sólo es posible obtenerlo en la vida auténtica. En la vida inauténtica las asociaciones sólo son de interés y de preocupaciones.

¿Cómo llegar al "Mitsein"? Sólo con posterioridad a la afirmación del desamparo y soledad absoluta de los seres que pretenden ese estado. María y Juan Pablo intentan alcanzar esa comunión, pero parten, necesariamente, de su solipsismo. Castel, después de las rupturas, queda con la sensación de soledad absoluta y en torno de ella hace una serie de consideraciones:

> Generalmente, esa sensación de estar solo en el mundo aparece mezclada a un orgulloso sentimiento de superioridad: desprecio a los hombres, los veo sucios, feos, incapaces, ávidos, groseros, mezquinos; mi soledad no me asusta, es casi olímpica.

Párrafo muy significativo, pues indica cómo en ese estado se considera más auténtico y valioso.

María también se afirma en su básica soledad. La primera vez que fue Castel a la hacienda de la mujer, oportunidad en que ella le lleva hasta un monte desde donde divisaron el mar y el cielo que dice haber soñado siempre compartir con Juan Pablo, María hace que él pueda pensar:

> sentí que eras como yo y que también buscabas ciegamente a alguien, una especie de interlocutor mudo. .

Son múltiples los pasajes análogos que se podrían traer a colación y que no harían sino confirmar aún más lo que sostenemos: ambos seres viven en un desamparo total.

Pues bien, en la soledad ontológica, la comunicación directa anhelada es decididamente imposible; un real encuentro, un efectivo intercambio traerían como consecuencia el cese de la soledad fundamental. Eso es lo que sucede entre ambos personajes de la novela. Es Sartre quien ha concluido que este "ser-con" del que habla Heidegger se niega por su generalidad misma: ésta dificulta toda relación concreta de dos seres personales concretos. Por ello la ontología sartreana no llega a fundar una comunicación de sujeto a sujeto; para el existencialista francés existe la mera posibilidad de un "nosotros-objeto" y no la de un "nosotros-sujeto". En otras palabras, la unión de una multitud, por ejemplo, pero no de individuos. En *El Ser y la Nada* sostiene "las subjetividades están fuera del alcance y radicalmente separadas" y más adelante, "la esencia de las relaciones entre conciencias no es el Mitsein, es el conflicto". Con ello afirma una básica "extrañeza" entre los hombres: la solidaridad es de condenados, donde cada uno es extraño a cada uno de los demás como a sí mismo.

Es, entonces, por razones metafísicas, que el encuentro absoluto entre los personajes de *El túnel* se imposibilita; no basta aquí la explicación psicológica; no se trata de que entre ambos haya una esencial diversidad. Por el contrario, la analogía es tan profunda que llega a la identidad, de la cual Castel tiene plena conciencia, pues afirma: "sentí lo que muchas veces había sentido desde aquel momento del salón: *que era un ser semejante a mí*". Si no pueden llegar a la comunión es porque "las subjetividades... están radicalmente separadas", como dice Sartre.

Allí está entonces la explicación de lo que va sucediendo en el desarrollo de las relaciones entre Castel y María Iribarne. De la segunda vez que se encuentran, cuando analizan la escena del cuadro y concluyen que es un mensaje de desesperanza y de la conversación brota la posibilidad de entendimiento, Juan Pablo recuerda:

> quizá sintió mi ansiedad, mi necesidad de comunicación, porque en un instante su mirada se

> ablandó y pareció ofrecerme un puente, *pero sentí que era un puente transitorio y frágil colgado sobre un abismo.*

Juan Pablo comienza, desde el primer momento en que está estableciéndose el anhelado contacto, a dudar de su perdurabilidad. Pocos días después de iniciadas las relaciones, ella sale de la ciudad sin avisarle, no acudiendo por ende a la cita de la cual Juan Pablo mucho esperaba. Entonces comienzan a germinar y manifestarse las dudas que le acuciarán durante todas sus relaciones con la muchacha, las que aumentan cuando llega a darse cuenta de que ella es casada. A él le desesperarán los silencios de María y sus actos sin explicación lógica posible, sus contradicciones.

Los encuentros del primer mes se le aparecerán a Juan Pablo "maravillosos y horribles". Pronto escasearán los momentos de ternura:

> mis dudas y mis interrogatorios –confiesa Castel– fueron envolviéndolo todo, como una liana que fue enredando y ahogando los árboles de un parque en una monstruosa trama.

Estos crueles interrogatorios llegarán a su extremo cuando al preguntarle sobre sus relaciones con su marido ciego, Pablo le dice –"vulgar y torpemente" según reconocerá–:

–¡Engañando a un ciego. . .!

María ante ello levanta "el puente levadizo que

a veces tendía entre nuestras almas" y pasa a ser "la mirada dura de unos ojos impenetrables", cosa que acontece con frecuencia ante el comportamiento de Castel. Vanas serán las humillaciones de éste y sus angustiosos llamados: "Algo se había roto entre nosotros", concluye Juan Pablo.

Ante esa ruptura él vuelve a casa "con la sensación de una absoluta soledad": no pudo establecerse, pues, el contacto definitivo, la comunicación anhelada. De poco servirá que, ante los ruegos de él, vuelvan a unirse, pues los encuentros serán siempre de duración extremadamente limitada. Y Juan Pablo lo sabe. A veces con claridad absoluta. En cierta ocasión recuerda que ella le había dicho que no tenían derecho a pensar en ellos solos, y que la felicidad está rodeada de dolor:

> en aquel instante –recuerda Castel– más que nunca sentí que *jamás llegaría a unirme con ella en forma total* y que debía resignarme a frágiles momentos de comunión tan melancólicamente inasibles como el recuerdo de ciertos sueños, o como la felicidad de algunos pasajes musicales.

Cuando crea estar seguro de que ella es amante de Hunter, la asesinará, alegando como razón: "Tengo que matarte, María. *Me has dejado solo*".

Hemos ido viendo los diversos momentos de las relaciones entre Juan Pablo y María, notando cómo la incomunicabilidad básica de ambos seres no pudo ser superada sino por fugaces instantes, de modo que el desamparo preside sus vidas. Y hemos encontrado que la explicación es la proporcionada por la concepción existencialista que tiene el autor de *El túnel*.

Podemos seguir analizando otros aspectos de la obra que también nos conducirán a interpretarla como novela existencial.

Piénsese, por ejemplo, en el rechazo que el protagonista hace de las formas superficiales del vivir —actitud ética propiamente existencialista. Anhelando modos auténticos de existencia, se considera que el hombre debe huir de todo refugio que pueda servir para cobijarse de los problemas que le ahogan: el sistema, los usos, y costumbres cotidianas, lo que Kierkegaard llama el universo de "lo inmediato", ya que todo esto sirve para vivir tranquilos, para eliminar la angustia que emana de manera inexorable de las profundidades inquietas del ser. Según el pensamiento de Heidegger, Jaspers, etc., cuando los hombres se entregan a las ficciones de tranquilidad, hacen dejación de su ser de existentes. De allí que el primer paso de la filosofía ha de consistir —según los existencialistas— en hacer volver al hombre con violencia de las seducciones mundanas o íntimas, a su calidad de existentes, de seres que tropiezan con misterios interiores y que se *embarazan* en ellos. Ahora bien, la conversión existencial está constantemente comprometida por la caída en el mundo objetivo o en el vacío subjetivo; de allí que Jaspers hable de "tensión" incesante, es el suyo un concepto militante de la existencica.

Del mundo objetivo el existente rechaza sus organizaciones sistemáticas, que ahogan la angustia que eleva.[10] Castel dirá:

> detesto los grupos, las sectas, las cofradías, los gremios y en general esos conjuntos de bichos que se reúnen por razones de profesión, de gusto o de manía semejante.

¿Y qué es lo que detesta de ellos? El que sean "conglomerados", esto es, organizaciones donde no hay contacto personal, auténtica compañía y entendimiento mutuo entre los individuos concretos que componen el conjunto, o donde es imposible la soledad conducente a la autencidad. Al existencialismo le interesa el hombre particular, de carne y hueso, único. En cambio los reunidos en esas organizaciones tienen los grotescos atributos de "la repetición del tipo", "la jerga", y "la vanidad de creerse superiores al resto de los hombres": son los términos con que califica Castel.

Insistentemente el pintor se referirá a su modo de concebir esos grupos: "siempre he mirado

[10] Kierkegaard ha dicho, "Quien, por el contrario, ha aprendido a angustiarse bien, ha aprendido lo más alto... y cuanto más profundamente se angustia, tanto más grande es el hombre".

con antipatía y hasta con asco a la gente, sobre todo a la *gente amontonada*.

Junto al peligro de la entrega a ese mundo objeto sistemáticamente organizado y al que por el hecho de pertenecer el hombre arriesga su existencia auténtica, está el posible abandono a la cotidianeidad, pequeña burguesa en la que el hombre se instala confiadamente, entre objetos tranquilizadores que le ocultan su esencial desamparo. Los existencialistas se preocupan básicamente por evitar el olvido de la muerte y de todas las situaciones angustiosas, las situaciones-límites a las que alude Jaspers.[11] Por eso que la vida elevada es vida estrecha, limitada por todos lados.

Entre estos límites, el primero radica en la condición misma del hombre y las otras se experimentan en la muerte, el sufrimiento, el combate y la falta. Según los existencialistas, el ser

[11] "En tanto que existencia empírica no podemos hacer más que eludir las situaciones-límites cerrando los ojos ante ellas. Queremos conservar nuestra existencia empírica en el mundo, dilatándola; nos referimos a ella sin preguntar, dominándola y gozándola o bien sufriéndola y sucumbiendo en ella, pero no queda al fin nada más que resignarnos. Ante las situaciones-límites no reaccionamos, por tanto, inteligentemente, mediante planes y cálculos para superarlas, sino por una actividad completamente distinta, llegando *a ser posible la existencia que hay en nosotros*; llegamos a ser nosotros mismos entrando en las situaciones-límites con los ojos bien abiertos. Estas sólo son cognoscibles externamente para el saber; como realidades sólo pueden ser sentidas por la existencia. Experimentar las situaciones-límites y 'existir' son una misma cosa", Karl Jaspers, *Filosofía*, I, Madrid, Ediciones de la Universidad de Puerto Rico, Revista de Occidente, 1959, pág. 67.

empírico que hay en todo hombre, el que acu
mula saber, sensaciones y ansias de vivir, intent
escapar a esas situaciones-límites, pero siente un
sorda inquietud.

La existencia corre peligro, entonces, de pe
derse. A la "existencia perdida" han dedicad
muchas páginas los filósofos existencialistas, pa
tiendo generalmente de las reflexiones pascali
nas sobre la *diversión*, lugar de las "indiferen
cias" no del "mal". Heidegger, por ejemplo, di
que el existente está siempre *en la posibilida*
de optar entre dos modos de vida: la auténti
y la inauténtica, que es cotidianeidad que ac
para. El hombre de existencia inauténtica vi
en el mundo del "se" o del "impersonal": cul
de la medianía, de la moda, de la irresponsab
lidad. De ello logra quietud espiritual. Es u
enajenarse en las cosas exteriores. Ahora, h
posibilidad de pasar a la existencia auténtica,
para ello es necesario que el existente se recup
re y se arranque de la disposición del "se".
vive entonces en ese estado de "tensión" del q
habla Jaspers.

El protagonista de *El túnel* vive tensamen
Él también está muchas veces tentado de ent
garse a lo cotidiano, al "se". En muchas ocas
nes ahoga la angustia provocada por su esta
de total desamparo en los aspectos bajos de
existencia y acude al alcohol y las prostitut
como en esos días que precedieron a la mue
de María. Pero la lucha, el combate es const

te. Juan Pablo sabe que en el mundo hay dos modos posibles de existencia —Gabriel Marcel ha dicho: "Hay una cosa que se llama vivir y hay una cosa que se llama existir: yo he elegido existir"—; Castel conoce la acción de dos fuerzas que se oponen, una que conduce a la pérdida de la existencia y otra que sin fatiga llama a la reconciliación del hombre consigo mismo; sabe que el mundo está separado en dos partes muy diversas, una de las cuales pertenece a los que viven en una anchura sin límites y otra en la que viven los hombres como en *túneles*. Los segundos son los auténticos existentes; los primeros llevan existencia inauténtica. Juan Pablo ha creído encontrar en María un ser idéntico a él, de existencia tan auténtica como la suya y con la cual lograría el encuentro:

> era como si los dos hubiéramos estado viviendo en pasadizos o túneles paralelos, sin saber que íbamos uno al lado del otro, como almas semejantes, para encontrarnos al fin de esos pasadizos delante de una escena pintada por mí, como clave destinada a ella sola, como un secreto anuncio de que yo estaba ya allí y que los pasadizos se habían por fin unido y que la hora del encuentro había llegado.

Pero después considerará que ese encuentro y esa unión no han sido sino "una estúpida ilusión", pues los pasadizos seguían como antes "aunque el muro fuera de vidrio" o a veces de "piedra negra". Hasta llegó a concluir "que toda la historia de los pasadizos era una ridícula invención o creencia mía y que en todo caso había un solo túnel, oscuro y solitario: el mío, el túnel en que había transcurrido mi infancia, mi juventud, toda mi vida". Y ese *túnel* en el cual siempre ha vivido es el de su insalvable soledad. Frente a los que viven en el ancho mundo, y que llevan "una vida normal, agitada... curiosa y absurda en que hay bailes y fiestas y alegría y frivolidades", está él como existente auténtico, replegado sobre sí, angustiado por las *paredes* que lo limitan.

Por ello la concepción de la existencia humana que tiene Castel es dramática. Su posición es la de un existencialista ateo, ya que ve en la contingencia, en el límite, pura irracionalidad y brutal absurdidad. El hombre es un hecho desnudo, ciego. Está ahí, sin razón alguna. Es lo que Heidegger y Sartre llaman la "facticidad" del hombre. Es como si lo hubiesen *arrojado por nada.*

El cuadro "Maternidad" y específicamente la escena de la ventana, que ha pintado Castel, según María, tiene que ver con la Humanidad en general:

> En un planeta minúsculo, que corre hacia la nada desde millones de años, nacemos en medio de dolores, crecemos, luchamos, nos enfermamos, sufrimos, hacemos sufrir, gritamos, morimos, mueren y otros están naciendo para volver a empezar la comedia inútil.

Castel, como María, reconoce que éste no es un mensaje elogiable, "pero lo que importa —dice— es la verdad y esa escena es verdadera". De ese mundo inútil y sin sentido y despreciable, Castel sabe que forma parte y cuando en ocasiones toma conciencia plena de ello, lo invade "una furia de aniquilación" y se deja "acariciar por la idea del suicidio, se emborracha y busca a las prostitutas", las falsas salidas a la angustia provocada por la situación-límite de la soledad a las que aludíamos líneas atrás.

Frecuentemente Castel medita sobse la posibilidad del suicidio; la muerte como liberación de la pesadilla que es el vivir; la muerte como una especie de despertar. Pero, ¿despertar a qué?

> Esa irresolución de arrojarse a la nada absoluta y eterna me ha detenido en todos los proyectos de suicidio. A pesar de todo, el hombre tiene tanto apego a lo que existe, que prefiere finalmente soportar su imperfección y el dolor que causa fealdad, antes que aniquilar la fantasmagoría con un acto de propia voluntad.

Pero si no llega al suicidio, realiza en él una verdadera "castración": a eso equivale el asesinato que comete el pintor, como ha observado agudamente Iris J. Ludmer.

La de Castel es una filosofía del hombre herido, desesperado. Y el existencialismo, que asume como postura vital, no es un "quietismo en desdicha", sino, por el contrario un arrojar al hombre a esa su realidad, posición netamente antagónica al epicureísmo. Para Jaspers, el hombre tiende hacia un más allá de la existencia humana; para Heidegger sólo existe el mundo del hombre, que es lo que resuelve ser, que se autodetermina en una actividad conducente de su ser de "existente bruto" (Seinde) a un "proyecto".

Ahora, según Sartre y el mismo Heidegger, este movimiento del ser no es efecto de una plenitud —según lo ha aclarado Mounier, ob. cit. pássim— sino de una impotencia: la plenitud la tendría el "existente bruto", la existencia en lo que tiene de contingente y de absurdo. Pues bien, esa plenitud es muerta, es una "plenitud de muerte". De allí entonces que la existencia toda sea primordialmente precaria, y que nada adquiera en forma definitiva.[12] La existencia así continuamente puesta en juego, haciéndose y rehaciéndose. Por un lado, fragilidad; por otro, energía. Las antinomias, las oposiciones, presiden la vida espiritual del existente y por ello en él domina la *angustia*, que para Heidegger es el signo que indica la autenticidad; brota cuando apercibimos nuestro desamparo de ser—en—el—mundo y nuestra marcha inexorable hacia la muerte: cuando creemos que somos "seres—para—la—muerte" (Heidegger).

[12] Como hemos visto que acontece, por ejemplo, con la posesión del ser amado transformado en objeto.

Contra la aceptación de ese hecho protesta Sartre.

Según el autor de *El Ser y la Nada*, los esfuerzos que se hagan para integrar la muerte en el ser mismo de la vida —la muerte como compañera de cada instante del vivir— son también un esfuerzo inauténtico para reponer la muerte en lo humano y atenuar así su radical contingencia. Sartre dice:

> Es un absurdo que hayamos nacido y es absurdo que muramos, y por eso la historia de una vida, sea cual fuera, es la historia de un fracaso;

el fracaso es una absurdidad sin remedio ni recurso.[13] Es clarísimo que este pensamiento alienta tras las concepciones y las acciones de los personajes de *El túnel*. María reconoce estar "atraída por la muerte o la nada": a la muerte la sabe integrada en su vivir y por eso la tendencia hacia ella; pero —como Sartre— rechaza esta actitud de aceptación resignada como válida: es algo contra lo cual según ella hay que luchar:

> pero creo que uno no debe entregarse pasivamente a esos sentimientos,

le declara a Juan Pablo.

[13] También del pensamiento de Jaspers despréndese que el fracaso es el término necesario de todo proyecto humano. Para Sartre la vida es empresa frustrada. Estas consideraciones existencialistas son las que viven y se entrevén en la producción narrativa de Kafka: imagen alucinante del fracaso es la que aparece en *El castillo* y en *El proceso*, donde se marcha de una manera inagotable y agotadora hacia un objetivo del que cada vez nos alejamos más.

La existencia tiene una soledad original, congénita. La angustia puede nacer no sólo ante la situación-límite de la muerte; más aún, el sufrimiento principal del existente es la incapacidad de la existencia para comunicarse, lo que sólo es posible, según hemos anotado páginas atrás, para el hombre que vive en lo relativo. En la perspectiva heideggeriana y sartreana la soledad se hace absoluta. Todo esto lo hemos observado con la extensión requerida; ahora lo que nos interesa destacar es que nunca antes como en la época actual la filosofía se había planteado estas condiciones limitativas del hombre con tanto dramatismo y urgencia, condición, sintetizada por Rilke en conocida "fórmula poética": "Nosotros, infinitamente expuestos". Estas consideraciones de la filosofía existencialista son las que aparecen plasmadas literariamente en novelas que asumen así un carácter de verdaderos "esquemas existenciales", que ayudan a la comprensión de las reales situaciones humanas.

Ensayistas hispanoamericanos como Mallea y Borges —citamos a los de nuestra América porque nos ayudan a demostrar la validez de un aspecto de la tesis aquí planteada— se han referido a esta "literatura de las situaciones extremas". Según Mallea, la fase actual por la que atraviesa la novela es "la de la tragedia y la del conocimiento", "la de los mejores entre los modernos, la fase de Unamuno, la de Kafka". Sostiene el escritor argentino en *Notas de un novelista* que "la novela por fin está directamente enfrentada con el problema del destino humano" y que deberá necesariamente llegar "a la expresión fundamental, completa, mística, expuesta en su pleno relieve, *de una criatura viviente, sufriente, preocupada, pensante* (atención, por primera vez, ante todo preocupada y pensante) *cuyo dolor, peligro, hallazgos e incertidumbre* le han hecho grande en un mundo amenazadoramente empequeñecido". La referencia a esta criatura con tales rasgos distintivos es la que aparece, entonces, en la literatura que se ha llamado "de las situaciones-límites", término acuñado, como sabemos, por Jaspers. Y esta literatura tenía que surgir necesariamente sólo ahora, en nuestra época, en que las situaciones-extremas de la muerte, la soledad, el desamparo, la temporalidad, etc., aparecen como constituyentes del existir mismo, no como meros aditamentos externos y extraños. Sabato, el ensayista, ha escrito:

> El hombre de hoy vive a alta presión, ante el peligro de la aniquilación y de la muerte, de la tortura y de la soledad. Es un hombre de situaciones extremas, ha llegado o está frente a los límites últimos de su existencia. *La literatura que lo describe e indaga no puede ser, pues, sino una literatura de situaciones excepcionales.* Es el caso de Camus, Greene, Lagerkvist, Kafka, y cualquiera de los grandes escritores de nuestros tiempos (*El escritor y sus fantasmas*).

Y es el caso de sus propios personajes también. Creemos haber llegado a demostrar que *El túnel* es una de esas novelas que se estructuran sobre la base de las situaciones-límites, vía por la cual el autor intenta llegar a los estratos últimos del hombre, los que hacen de éste "una persona".

III

"El túnel", de Sabato: más Freud que Sartre

FRED PETERSEN. (University of Washington, USA)

Traducción: *Giovanna von Winckhler*

Desde su aparición en 1948, la novela de Sabato, *El túnel*, sigue siendo foco de interés para reseñadores literarios y críticos; el número de trabajos que se han escrito acerca de la obra aumenta en forma continua y considerable y el análisis se hace cada vez más profundo e importante. Casi sin excepción lo que se ha dicho sobre *El túnel* tiene un sentido coherente, y atinado. En suma, tal caudal crítico marca la medida de la importancia de esta obra.

La crítica literaria en general, y la que se ocupa de la obra de Sabato en particular, refleja la tendencia de la época. Así, Ángel Flores, refiriéndose en 1955 al estilo de la novela, la ubica dentro de lo que llama "tendencia general" del "realismo mágico", cuyo origen vislumbra en 1955.[1] Algo más tarde, Zum Felde observa, acerca del protagonista de *El túnel,* Castel, que su "condición de *angustiado* (hasta lo patológico)" lo vuelve "representativo del caos moral de la época".[2] Anderson-Imbert concuerda en lo esencial sobre esta opinión, pero la expresa de otra manera. Para él, la locura de Castel es el "símbolo de una metafísica desesperada".[3]

En 1962, Beverly Jean Gibbs dice que la novela de Sabato, como una gran parte de la novelística argentina, no evidencia lo que podría llamarse un montaje o trama tradicional, ni se ajusta a un desarrollo clásico del personaje. Más bien, la "totalidad se halla estructurada y ordenada por la descripción de la subjetividad del protagonista".[4]

En 1964 Fernando Alegría sintetiza hábilmente —en verdad, casi elípticamente— gran parte de la crítica ya existente. Al igual que otros autores, Sabato, según la convicción de Alegría, "dramatiza el ansia de definición personal del hombre de nuestra época".[5]

[1] Angel Flores, *Magical Realism in Spanish American Fiction,* XXXVIII (may., 1955, págs. 188, 189).

[2] Alberto Zum Felde, *Indice crítico de la literatura hispanoamericana: La narrativa,* tomo II (México, 1959), pág. 480.

[3] Enrique Anderson-Imbert, *Historia de la literatura hispanoamericana,* tomo II, México, 1961, pág. 235.

[4] Beverly Jean Gibbs, *Spatial Treatment in the Contemporary Psychological Novel of Argentina,* "Hispania", XLV (set., 1962), pág. 410.

[5] Fernando Alegría, *Novelistas contemporáneos hispanoamericanos,* Boston, 1964, pág. 26.

Finalmente, en 1965, otro artículo firmado por Gibbs vuelve más evidentes las bases de la crítica actual. El título de esta publicación sobre Sabato es suficiente para marcar la dirección de sus comentarios: "*El túnel*: descripción de la incomunicación". [6]

Sabemos, por supuesto, que el problema de la incomunicación no es una novedad. La falta de comunicación es un fenómeno que en la literatura, al igual que en la vida, hunde profundas raíces en el pasado. Sin embargo, es posible que tanto los lectores como los críticos se vean atraídos por *El túnel* no en virtud del admirable relato que presenta sobre ese angustioso problema, sino porque su gran popularidad tiene un origen más importante, un interés que cala más hondo de lo que puede esperarse del hábil tratamiento de un tema "contemporáneo".

Mi propósito en estos párrafos no es desprestigiar o desacreditar el valioso trabajo realizado hasta hoy sobre *El túnel,* sino relacionar el contenido de la novela con un problema de la mayor trascendencia para el hombre. A mi juicio, la obra no enfoca solamente la incomunicación del ser humano, sino algo más palpable, una realidad de validez universal en la psicología humana: el complejo de Edipo.

Juan Pablo Castel muestra un ejemplo casi clásico de intrincación y conflicto edípicos. De

[6] Beverly Jean Gibbs, *El túnel: Portrayal of Isolation* "Hispania", XLVIII (set., 1965), págs. 429-436.

hecho, Castel destruye a la persona que para él es, ante todo, el símbolo de la madre. Y cabe señalar, aun de pasada, que el nombre de este símbolo es María, indudablemente uno de los signos más fértiles de la simbología cristiana, la Madre Universal de los Cristianos.

La trama o contenido *esquemático del relato, al igual que el "contenido utilizado" o "experiencia"* [7] son productos o aspectos de la mentalidad del protagonista, como observa Gibbs. El lector no puede ver, opinar o descubrir, si no es guiado por Juan Pablo Castel. Sin embargo, no se le impide participar. El protagonista arquetípicamente neurótico de Sabato lleva a cabo lo que se propone, o sea, "relatar todo imparcialmente". [8] Si bien Castel afirma en principio que se reservará los motivos que lo impulsan a escribir esta confesión, narra la historia "*íntegra*". Y, a pesar de que la trama, el tiempo, la ubicación, y todos los factores externos y observables nos son dados a través de su mentalidad, la esencia de la narración se halla relatada con gran claridad y con lo que podríamos llamar exactitud clínica. Sabato describe con precisión no sólo la realidad consciente de su protagonista, sino también su parte inconsciente. Junto con las esce-

[7] Estos términos pertenecen a Schorer. Véase: Mark Schorer, *Technique as Discovery*, "Approaches to the Novel", San Francisco, 1961, pág. 249.

[8] Ernesto Sabato, *El túnel*, Buenos Aires, 1961, pág. 15. Las siguientes referencias al texto se harán entre paréntesis, después de cada cita.

nas, imágenes, símbolos, y todos los restantes elementos significativos de esta descripción, encontramos implicados, de una u otra manera, la femineidad y la maternidad. Y aunque la relación que entre ambos se da no es específica, se mantienen intrincados de modo profundo en la totalidad del relato. Los sueños de Castel y las escenas que tienen lugar cerca del mar o que de algún modo se relacionan con él son narrados con una claridad mucho mayor que la de su confesión evidente.

Castel tiene tres sueños y una serie de pesadillas que describe con gran detalle. Todos estos sueños son representaciones, trastrocadas, de escenas y situaciones que se vinculan, para él al menos, con la emoción y los sentimientos.

El primero se produce al enterarse de que María es casada, después de haberle manifestado interés por él y haberse dado cuenta Castel de que, en cierto modo, Hunter forma parte de la vida de María. Siguen sus intentos de rechazar las sospechas, y su descubrimiento de que le es imposible. En medio de una agitación que lo embarga durante varios días, describe el sueño:

> Visitaba de noche una vieja casa solitaria. Era una casa en cierto modo conocida e infinitamente ansiada por mí desde la infancia, de manera que al entrar en ella me guiaban algunos recuerdos. Pero a veces me encontraba perdido en la oscuridad o tenía la impresión de enemigos escondidos que podían asaltarme por detrás o de gentes que

cuchicheaban y se burlaban de mí, de mi ingenuidad. ¿Quiénes eran esas gentes y qué querían? Y sin embargo, y a pesar de todo, sentía que en esa casa renacían en mí los antiguos amores de la adolescencia, con los mismos temblores y esa sensación de suave locura, de temor y de alegría. Cuando me desperté, comprendí que la casa del sueño era María.

Este primer sueño revela muchos elementos básicos que conforman la estructura mental de Castel. La casa que ha soñado es María y por ello puede interpretarse como la eterna mujer en su subconsciente. Además, como ansía aquel lugar desde su más temprana infancia, cabe afirmar que la casa es también el símbolo de la figura de la madre. Dentro de este esquema simbólico experimenta los antiguos amores de su adolescencia con los consiguientes temores y momentos lindantes con la locura. Sin embargo, cuando atraviesa el umbral, no siente ningún placer. Se pierde en la casa, se cree perseguido por enemigos ocultos, que sin duda son manifestaciones de su creciente pavor y su desconfianza en María. Su mente consciente ve en los enemigos a Allende y Hunter. El primer sueño de Castel es una representación simbólica que se proyecta tras el contenido narrativo básico de la historia, pero que no obstante permanece como parte vital de ella. Lo mismo ocurre con los otros sueños.

El segundo es mucho más grotesco y agresivo,

pero es igualmente pertinente a la confesión. Se produce al mes de haber iniciado su relación con María y después de haberla enterado de las abrumadoras sospechas que concibe acerca del engaño a que es sometido Allende por la mujer. En la época que precede a este sueño, Castel siente que se ha roto entre él y María algún lazo o vínculo. Es anterior a su primera visita a la estancia. Describe el sueño —que parece una representación distorsionada de su encuentro con Allende— de esta manera:

> Teníamos que ir, varias personas, a la casa de un señor que nos había citado. Llegué a la casa, que desde afuera parecía como cualquier otra, y entré. Al entrar tuve la certeza instantánea de que no era así, de que era diferente a las demás. El dueño me dijo:
>
> Lo estaba esperando.
>
> Intuí que había caído en una trampa y quise huir. Hice un enorme esfuerzo, pero era tarde: mi cuerpo ya no me obedecía. Me resigné a presenciar lo que iba a pasar, como si fuera un acontecimiento ajeno a mi persona. El hombre aquel comenzó a transformarme en pájaro, en un pájaro de tamaño humano. Empezó por los pies: vi cómo se convertían poco a poco en unas patas de gallo o algo así. Después siguió la transformación de todo el cuerpo, hacia arriba, como sube el agua en un estanque. Mi única esperanza estaba ahora en los amigos, que inexplicablemente no habían llegado: Cuando por fin llegaron, sucedió algo que me horrorizó: no notaron mi transformación. Me trataron como siempre, lo que probaba que me veían como siempre. Pensando que el

mago los ilusionaba de modo que me vieran como una persona normal, decidí referir lo que me había hecho. Aunque mi propósito era referir el fenómeno con tranquilidad, para no agravar la situación irritando al mago con una reacción demasiado violenta (lo que podría inducirlo a hacer algo todavía peor), comencé a contar todo a gritos. Entonces observé dos hechos asombrosos: la frase que quería pronunciar salió convertida en un áspero chillido de pájaro, un chillido desesperado y extraño, quizá por lo que encerraba de humano; y lo que era infinitamente peor, mis amigos no oyeron este chillido, como no habían visto mi cuerpo de gran pájaro; por el contrario, parecían oír mi voz habitual diciendo cosas habituales, porque en ningún momento mostraron el menor asombro. Me callé, espantado. El dueño de casa me miró entonces con un sarcástico brillo en sus ojos, casi imperceptible y en todo caso sólo advertido por mí. Entonces comprendí que *nadie, nunca,* sabría que yo había sido transformado en pájaro. Estaba perdido para siempre..

También aquí podemos suponer que la casa representa a María y a la relación entre ambos. El hecho de que al principio aparece como una casa común y que después cambia para convertirse en una mansión extraña, lo lleva a la convicción inconsciente de que María es distinta y que es algo —alguien— que él busca desde hace largo tiempo. Al encontrarse con el dueño de casa tiene la sensación de haber caído en una trampa. Esta sensación, unida al hecho de que el hombre es mago, es la representación onírica de los sentimientos que surgen dentro de él hacia Allende, y que tienen origen en el cálido recibimiento de que lo hace objeto el ciego, para entregarle el sobre de María.

En lo profundo de su mente, Castel se siente más herido de lo que está María, por engañarlo a Allende. En verdad, parece reaccionar en base al principio psicológico del funcionamiento del sentido moral en los sueños. Demuestra aquella afirmación de Freud según la cual "los sueños tienen acceso al material de ideación que se halla ausente en nuestro estado de vigilia durante nuestra actividad, o que forma parte muy pequeña de ellos". [9]

En su sueño, Castel no puede evitar caer en la trampa y se ve trasformado por el mago en un pájaro monstruoso. Tampoco le es posible escapar de la verdad de su relación con María; es un hecho establecido en su pasado. A sus propios ojos, Castel es un monstruo a quien nadie comprende, en todo diferente e incapaz de comunicarse; pero sólo aparece de esta manera ante sí mismo. Nadie nota nada distinto en su persona. Sólo él descubre la sardónica expresión en los ojos del mago. Allende es su único cómplice al comprender la razón de tal sarcasmo, es decir, conoce su relación con María.

Hasta un examen casual de estos sueños pare-

[9] Sigmund Freud, "The Moral Sense in Dreams", *Freud: The Intepretation of Dreams,* trad. y ed. James Strachey, Nueva York, 1965, pág. 103.

ce ampliar y aclarar el informe de Castel sobre sus sentimientos y actos. Sabiéndolo él mismo, no parece estar en contacto con su consciente. Pero para el lector, el "material de ideación" de sus sueños señala su verdadero estado mental.

En aquellos sueños a los que se refiere como a "unas pesadillas" el funcionamiento del ya mencionado "sentido moral" es muy evidente. Las pesadillas siguen a su retorno de la estancia y se hallan mezcladas con los detalles de su desorganizada vida actual. Las describe exactamente como "unas pesadillas en las que caminaba por los techos de una catedral".

En ellas, Castel "pasea sobre María", simbolizada, por supuesto, por la catedral. Está hollando este piso en virtud de los celos cada vez más enfermizos que siente a causa de Hunter. Puesto que las llama "pesadillas", es obvio que estas escenas oníricas lo aterrorizan. En algún lugar recóndito de su mente, sabe que somete a María a un trato injusto y que su opinión sobre ella es errónea.

El tercer sueño está casi al final, en la época en que su desorden mental toca su culminación, pero después del tiempo en que su situación emocional produjo la serie de pesadillas. Se siente algo más seguro de sí; no obstante, ha estado bebiendo copiosamente. Describe su último sueño a grandes rasgos, y todo lo que dice constituye prueba de la progresiva fragmentación de su personalidad. Al mismo tiempo, es una representación de la escena que ocurre durante su estadía en la estancia; y una especie de recapitulación del estado actual y total de su mente. Sucede tras su descubrimiento de que Hunter es amante de María, y antes de decidir que ha de matarla. La ironía que ve en los ojos de Hunter es el sarcasmo deformado que antes percibió en la mirada del hechicero. Es, también, una reiteración del intercambio que observó entre Hunter y María en su visita a la estancia. Dice:

> Espiando desde un escondite me veía a mí mismo, sentado en una silla en el medio de una habitación sombría, sin muebles ni decorados, y, detrás de mí, a dos personas que se miraban con expresión de diabólica ironía: una era María; la otra era Hunter.

El hecho de que se ve a sí mismo sentado en una habitación sin muebles es otra manera de describir su estado mental, su túnel. Su visión de María y Hunter a sus espaldas —es decir, haciendo algo a sus espaldas— sólo demuestra su opinión acerca de la relación que los une. Al verse a sí mismo en el sueño no hace otra cosa que repetir lo que lleva a cabo en estado de vigilia: observarse a sí mismo, escucharse, preguntarse, como siempre. Sin embargo, es evidente que hay dos personas. Su extravío llega al summum. Pronto sabrá que María ha retornado a la estancia después de recibir un llamado de

Hunter. Castel no puede precisar cómo y cuándo llevará a cabo el asesinato.

Sus sueños pueden tener otras interpretaciones e implicaciones, pero nunca tienden a ampliar su personalidad; agregan a sus confesiones otra dimensión. Además, el hecho de que todas las interpretaciones que caben señalan hacia la Mujer, sugiere que podría ser necesario el examen de otros símbolos que encontramos en la novela.

El punto exacto de partida —el verdadero núcleo— del relato es el cuadro de Castel, que, de manera significativa, se titula "Maternidad". Se manifiesta en tres diferentes formas a lo largo de la narración. Sirve como principio de la novela y, a su modo, configura gran parte del contenido. La obra depende de los diferentes aspectos y proyecciones de esta escena central.

La primera forma de presentarse la escena es la "real", en la que se exhibe el cuadro. A juicio de Castel, el aspecto más importante de su pintura es la pequeña escena que vemos en un ángulo del gran óleo. En ella, de modo ansioso una mujer observa el mar. Interpretada en función de su propio contenido, es un indicio del significado total de la obra; el mar es uno de los símbolos más corrientes de la maternidad.

En la exhibición del cuadro Castel encuentra a María Iribarne, cuya profunda comprensión se le revela en el acto. Esta comprensión es, justamente, lo que él se halla buscando. La violen…

ironía final es que Castel está tan absorto en su propio razonamiento que no ve la realidad, o sea el haber logrado, por fin, comunicarse.

La respuesta inicial de María es pasivamente femenina y controlada. Castel pretende afirmar, casi violentándola, su vínculo con ella, a pesar de que sólo más tarde María admitirá haber experimentado precisamente los sentimientos por él descritos. Ella aceptará la realidad de estos sentimientos después de haber ido a la estancia de la familia, donde vaga cerca del mar y reconsidera la relación de ambos. Esta experiencia, que relata a Castel en una carta, es la segunda manifestación más importante de la pequeña escena que mencionamos antes.

Es evidente que se inicia una coincidencia afectiva y que el paseo por el mar tiene igual significado para ella, lo que se desprende también de algunas cosas que le comunica a Castel acerca de su pasado. La primera parte de la carta dice:

> He pasado tres días extraños: el mar, la playa, los caminos me fueron trayendo recuerdos de otros tiempos. No sólo imágenes: también voces, gritos y largos silencios de otros días. Es curioso, pero vivir consiste en construir futuros recuerdos; ahora mismo, aquí frente al mar, sé que estoy preparando recuerdos minuciosos, que alguna vez me traerán la melancolía y la desesperanza.
>
> El mar está ahí, permanente y rabioso; mi llanto de entonces, inútil; también, inútiles mis esperas en la playa solitaria, mirando tenazmente

al mar. ¿Has adivinado y pintado este recuerdo mío o has pintado el recuerdo de muchos seres como tú y yo?

Recibir la carta de María fue para Castel una "salida del sol". Pero como ya ha comenzado a sospechar de ella, el sol que menciona es "negro". Al proseguir su relación, Castel descubre que "yo vivía obsesionado con la idea de que su amor era, en el mejor de los casos, amor de *madre* o *hermana*" (bastardillas mías). Atormentado por este pensamiento, insatisfecho, lleno de sospechas y celoso, se vuelve cada vez más incapaz de aprovechar de algún modo el vínculo que los une. Su situación empeora y se complica de tal modo que al encontrarse los dos frente al mar —tercera manifestación de la primera pequeña escena— a Castel le es imposible seguir las confidencias de María.

En esta situación —última de las que se producen frente al mar— es evidente la similitud con una escena de madre e hijo. Las observaciones de Castel acerca de sus oscuros pensamientos indican la violencia que está por estallar:

> Después sentí que acariciaba mi cara, como lo había hecho en otros momentos parecidos. Yo no podía hablar. Como con mi madre cuando chico, puse la cabeza sobre su regazo y así quedamos un tiempo quietos y sin trascurso, hecho de infancia y de muerte... Mientras su mano acariciaba mis cabellos, sombríos pensamientos se movían en la

> oscuridad de mi cabeza, como en un sótano pantanoso; esperaban el momento de salir, chapoteando, gruñendo sordamente en el barro.

Después de arribar a la conclusión definitiva de que María y Hunter son amantes, y tras decidir matarla, Castel se vuelve a su casa. Tomando el cuchillo con que piensa asesinar a María, se detiene un momento para considerar su obra artística. Pensando que su intento de comunicación ha fracasado, se dedica a destruir el cuadro en pequeños trozos. Tras el destrozo exclama: "¡Ahora sabía más que nunca que esa espera era completamente inútil!"

La agresión contra el cuadro anticipa el asesinato de María. Para la mente de Castel no parece haber diferencia alguna entre ambos actos. Los realiza por igual con la sangre nublándole los ojos. Y la calma de María en el momento que precede a su muerte se torna tan conmovedora que contrasta violentamente con la ciega ira de Castel: su agitación es extrema. Pero, al aproximarse a su casa para matarla, ella dice "¿Qué vas a hacer, Juan Pablo?" y Castel descubre que lo observa con "una mirada dolorosa y humilde", podría decirse maternal.

Un examen más atento de la descripción que hace Castel del asesinato apoya la hipótesis de una implicación edípica. Castel dice:

> Entonces, llorando, le clavé el cuchillo en el pecho. Ella apretó las mandíbulas y cerró los ojos y

> cuando yo saqué el cuchillo chorreante de sangre, los abrió con esfuerzo y me miró con una mirada dolorosa y humilde. Un súbito furor fortaleció mi alma y clavé muchas veces el cuchillo en su pecho y en su vientre.

Al considerarse esta escena en un contexto edípico, con el cuchillo clavándole repetidas veces, no hay necesidad de reforzar con comentarios la interpretación del simbolismo que entraña.

Como lo señala Zum Felde, el personaje de Castel representa el caos moral de nuestra época. Sin embargo, "ha de aclararse que esa idealidad amorosa que sufre . . . representa, en sí misma, y aparte de sus exacerbaciones mórbidas, un alto sentimiento humano intemporal". [10]

Volviendo hacia atrás, a través de las escenas que en *El túnel* representan el mar y una mujer, nos viene a la memoria una muy similar, de "El retrato del artista adolescente". Stephen Dedalus, según un comentarista, sufre una "conversión religiosa al revés, una conversión hacia el mundo". [11] En la obra de Sabato uno siente que Castel brinda una visión del mundo a través de su pintura; es decir, que sugiere la posibilidad de "ser nacido" para el mundo. Su profunda enfermedad emocional impide, sin embargo, este nacimiento, pues Castel se impulsa a sí mismo a través de su túnel patológico de pro-

[10] Zum Felde, *loc. cit.*

[11] W. Y. Tindall, *James Joyce*, Nueva York, 1959, pág. 10.

tección y aislamiento. De hecho, el asesinato que comete en la persona de María le permite completar su jornada simbólica, su jornada inversa. Su cuarto, al final del libro, es un símil de su propia mente, un lugar de donde jamás podrá escapar. En pocas palabras: al haber matado a su "madre", retorna al útero. Por primera vez es capaz de considerar, desde su cuarto, que el mundo exterior es normal.[12] Sin embargo, está totalmente "asegurado" contra él. Al final de sus confesiones nota que las paredes de lo que llama su "infierno" serán cada día más herméticas.

Al ofrecer una interpretación de los sueños y pesadillas que aparecen en la narración de Juan Pablo Castel, y analizando las escenas que se relacionan con el mar, he intentado derramar algo de luz sobre el aspecto fundamental de la novela: su base, el complejo de Edipo. A la vez que es posible ver a Castel como un ser incomunicado, existencialista, protagonista muy típico del siglo veinte, también cabe sugerir que Sabato ha fusionado en forma muy efectiva a Sófocles y Freud, y producido una obra de ficción que establece un puente a través de un abismo de siglos. El continuo atractivo de Edipo Rey se acentúa para nosotros en *El túnel*. La fascinación

[12] Este es el único párrafo de la obra, en el que Castel toma en consideración un mundo "normal" que incluye familias, chicos, gatos, comida, cine, etcétera.

que siente Sabato por el tema dio como resultado una novela que indudablemente permanecerá "contemporánea" por mucho tiempo.

IV

Metafísica sexual de Ernesto Sabato: Tema y forma en "El túnel".

THOMAS C. MEEHAN (University of Illinois)

Traducción: *Giovanna von Winckhler*

Temas y estructura

El túnel es en extremo deprimente en sus connotaciones humanas.[1] Sin embargo, de modo eminente está logrado como ficción, ya que su lectura fascina a causa del extraordinario personaje que se aisla de una manera tan absoluta. Tal como lo demostraran los naturalistas, la presentación de lo sórdido puede urdirse de un modo plenamente artístico. Dado que la atracción

[1] Las observaciones de Sabato sobre uno de sus autores favoritos revelan que los efectos posiblemente depresivos de esta novela no se relacionan con su propia intención creativa. En cierto modo, Sabato es un defensor de la *littérature engagée*: "Para mí, un gran novelista como Kafka es el más poderoso testigo de su época, es decir un *mártir, si* atendemos al sentido etimológico de la palabra. Y si no es así, no es un gran escritor. Es otro de

estética de *El túnel* radica en la afortunada fusión de forma y contenido, los comentarios siguientes se centrarán en la unidad del tema y su estructuración.

En esta novela corta llena de tensión, que puede leerse como una descripción psicológica del fracaso mental del hombre hipersensible, solitario, Sabato ha creado un relato existencialista lleno de angustia, que constituye el símbolo de la soledad implícita en el existir. Imbuido de la ansiedad que caracterizó los años de posguerra, de los que es producto, *El túnel* se estructura en principio sobre dos temas de carácter pesimista: la soledad y la alienación de un hombre en un universo caótico y sin sentido, y la idea, estrechamente vinculada, de la imposibilidad de lograr cualquier comunicación eficaz, para no mencionar la comunión duradera y profunda de dos seres humanos. Siendo interesantes en sí mismos, estos temas son llevados hacia un extremo pesimismo por la tercera y más original idea de Sabato: [2] la mutua comprensión y la comunión ge-

---

los motivos por los que desasosiega, inquieta. Después de leer *El proceso* quedamos angustiados, no somos más que la misma persona que éramos al comienzo. Creo que fue Nadeau quien dijo que las grandes novelas son aquellas que trasforman al escritor (al hacerlas) y al lector (al leerlas). Por eso *la palabra 'agrado' o la palabra 'placer' nada tienen que hacer con esta clase de literatura.* No se escribe para agradar sino para sacudir, para despertar." *El escritor y sus fantasmas* (pág. 49). Las bastardillas son mías.

[2] Crítico y analista excepcionalmente lúcido de su propia obra, Sabato era relativamente joven cuando publicó *El túnel* (tenía

nuina de los espíritus es imposible dadas las diferencias que separan al hombre y la mujer. Los dos principales personajes son, de este modo, cabal representación de sus respectivos sexos. Este tercer tema surge de los dos primeros, y convierte a la novela en una despiadada investigación de estos conceptos en la literatura contemporánea: "El tema de la soledad y de la incomunicación es uno de los temas que caracterizan a la literatura de esta época de crisis. Y, como consecuencia..., de una manera o de otra debe aparecer en ella el magno problema del sexo en relación con el espíritu. [3]

Será útil dejar en suspenso la discusión del tercer tema y considerar primero de qué manera contribuyen la estructura general de la novela y los recursos técnicos a los dos problemas más importantes. La soledad del protagonista comienza estableciéndose mediante la forma con-

37 años), y el hecho de que se ha vuelto cada vez más consciente del tremendo pesimismo que encierra la novela se manifiesta en sus palabras, escritas quince años más tarde, en las que percibimos un nuevo y más maduro acento de esperanza, que sólo se aprecia del todo en su segunda novela: "Cuando escribí *El túnel* era todavía demasiado joven, y pienso que expresa sólo mi lado negativo de la existencia, mi lado negro y desesperanzado. Quizá eso mismo es lo que le da fuerza, esa fuerza de lo extremo. Pero me parece que el hombre, al final, se inclina más por la esperanza que por la desesperanza... Esa metafísica de la esperanza he intentado describirla en la cuarta y última parte de mi (segunda) novela, después de haber arrasado con casi todo en el "Informe sobre ciegos", especie de reiteración de la atmósfera de *El túnel,* agravada y extremada". *El escritor y sus fantasmas,* págs. 22, 23.

[3] *Ibid.,* pág. 174, Véase también pág. 88.

fesional del relato y se intensifica por el enfoque totalmente subjetivo que de modo deliberado elige el autor.[4] Nos hallamos aprisionados en el estado de consciencia de Castel desde el principio hasta el final. El lector sólo conoce el punto de vista del personaje y experimenta, así, su creciente incomunicación. La lacónica identificación del protagonista con su crimen en las líneas iniciales y su breve afirmación de que no hay necesidad de "mayores explicaciones sobre mi persona" producen el efecto exacto (e intencionalmente) sobre el lector, aumentando su curiosidad sobre el protagonista. Más aún: con el desenlace con tanta claridad expuesto al principio, Sabato evita el suspenso como motor del interés, y nuestra atención es llevada sobre *la soledad del protagonista*. Así, surge el golpe de las patéticas palabras "Existió una persona que pudo entenderme. *Pero fue, precisamente, la persona que maté*". La trama simple, esquemática, la escasez de detalles descriptivos, los pocos personajes y la siempre lineal secuencia de la

[4] "Adopté la primera persona, porque quería dar la sensación de la realidad externa tal como la vemos cotidianamente, desde un corazón y una cabeza individuales, *desde una subjetividad* total, de manera que el mundo externo apareciera al lector como se aparece al existente: como una extraña fantasmagoría, como algo que se escapa de entre los dedos y de nuestros frenéticos razonamientos." "Sobre la metafísica del sexo", pág. 39. Para una explicación más exhaustiva de las razones que llevaron a Sabato a elegir la primera persona, en *El túnel*, véase *El escritor y sus fantasmas*, págs. 14, 15.

acción [5] subrayan la expresa intención del narrador de escribir "en forma escueta" y hacen que el interés del lector se centre en uno de los mayores problemas del personaje. La construcción externa, por lo tanto, connota una singularidad como reflejo y refuerzo del tema de la soledad.

A pesar de que no hay deseos aparentes de organización en esta novela corta, pueden discernirse una estructura interna simétrica, y una progresión lógica. Como cabe esperar de una persona a quien caracteriza la manía del orden, el propio narrador —Castel— revela la clave para llegar a su método de composición. [6] Después de la introducción, nos comunica: "Todos saben que maté a María Iribarne. Pero nadie sabe cómo la conocí, qué relaciones hubo exactamente entre nosotros y cómo fui haciéndome a la idea de matarla". El personaje principal establece así el triple desarrollo de su confesión. Las tres divisiones de la obra consisten en sus respuestas a las cuestiones propuestas: encuentro, relación, decisión de matar. Tal progresión sintetiza si-

[5] Son excepciones los capítulos IV, V, y el principio de XXVII. Las referencias específicas al tiempo son pocas: el año, 1946 (pág. 15); la acotación de que la exposición de Castel tuvo lugar en primavera (pág. 15); otras observaciones sobre el trascurrir de los "meses" (pág. 17), días y semanas, y una referencia al tiempo caluroso (pág. 36).

[6] Sabato se ha referido a la *"severidad formal"* y al *"rigor intelectual y lingüístico"* adquiridos en los estudios científicos, como ventajosos para la profesión artística literaria. *El escritor y sus fantasmas*, págs. 11, 12.

multáneamente la acción de la novela y sugiere el tema del fracaso de la relación humana.

La primera sección, escrita de manera frenética, que finaliza con la metáfora del puente levadizo que baja para Castel, [7] relata el establecimiento de la comunicación por parte del protagonista con otro ser humano. La segunda parte, traspuesta por Castel para la construcción intencionada del "caso contra María", desarrolla la relación de ambos, esta sección se divide en dos, cada una de las cuales concluye con una crisis en momentos en que Castel se siente satisfecho con su conocimiento de las relaciones sexuales de María con Allende y Hunter, respectivamente. En los capítulos x a xx las dudas crecientes de Castel se complican seriamente a causa del "problema Allende". El clímax se produce cuando Castel acusa a María de estar "engañando a un ciego" y por la reaparición de la imagen del puente levadizo que nunca más se bajará. Como lo señala Castel, "Algo se había roto entre nosotros". [8] Con la introducción de Hunter, los capítulos xxi a xxviii muestran a

[7] El autor se ha referido en otra parte a los puentes que cruzan el abismo de la soledad: "No estamos *completamente aislados:* Los fugaces instantes de comunidad ante la belleza que experimentamos alguna vez al lado de otros hombres; los momentos de solidaridad ante el dolor, son como frágiles y transitorios puentes que comunican a los hombres por sobre el abismo sin fondo de la soledad." *Hombres y engranajes*, pág. 10[illegible]

[8] La imagen del puente aparece una vez más, con respecto a María, como una pauta de la fragilidad de su relación (pág. 137).

Castel en el paroxismo de los celos. Esta sección finaliza con su angustiosa partida de la estancia en el convencimiento de que María es amante de Hunter. La tercera parte recobra el crescendo que caracterizó el principio de la narración, y la tensión aumenta al irse aproximando los acontecimientos rápidamente al trágico final.

El conjunto de imágenes que presenta Sabato también se relaciona con estos dos temas principales. Las imágenes de la naturaleza hablan de incomunicación y soledad y muestran la alienación del hombre: el mar, el río oscuro, tumultuoso, islas solitarias, el desolado panorama de la pampa, un desierto, y una caverna oscura. Al representar la imposibilidad de establecer la comunicación, el autor crea imágenes de estructuras levantadas por el hombre, tales como barreras o muros (trasparentes u opacos), una habitación vacía, un edificio, una celda, el cuarto de un asilo de alienados, y, la imagen más importante, el túnel. Consciente de haber perdido a María para siempre, Castel repasa mentalmente su relación anterior al crimen. Compara sus vidas separadas con túneles paralelos, opacos, que se han cruzado en el momento de su encuentro ante el cuadro. Algunas revisiones de su pensamiento inicial lo llevan a la horrible conclusión de que él es el único ser espiritualmente aislado dentro del túnel, con lo cual articula estas palabras que sintetizan los temas de la novela y le dan el título: "En todo caso había un solo túnel,

DREAMS —▷

oscuro y solitario: el mío, el túnel en que había trascurrido mi infancia, mi juventud, toda mi vida". Como el hombre del subsuelo, de Dostoievsky, Castel nunca ha emergido de su túnel para vivir.

El uso de sueños simbólicos crea la unidad de la estructura y el tema en *El túnel.*[9] Los dos sueños descritos con más detalle se relacionan con los temas de la soledad y la comunicación. En el primero Castel visita una antigua mansión que ha ansiado encontrar desde su infancia. El lugar le es familiar, pero se pierde en la oscuridad y siente que enemigos ocultos acechan en los rincones para asaltarlo. Sin embargo, sintiendo que su capacidad de amar en su adolescencia se renueva aquí, concluye diciendo que la casa representa a María. El significado del sueño es claro: en su soledad, el hombre busca integración humana y amor, pero ambos se hallan erizados de peligros. En este punto, Castel ve su amor por María como un modo de entrar en la vida, pero aún es cauteloso. El segundo sueño, aunque más rico en detalles y sugerencias, se elabora esencialmente sobre el primero y refuerza el segundo tema de la novela, la imposibilidad de comunicación. Invitado a la casa de cierto individuo, Castel se ve metamorfoseado de manera

[9] Con respecto a la inclusión de los sueños en sus novelas, Sabato dice: "Por disparatados e ilógicos que sean (los sueños) nos están dando el mensaje más revelador de esa existencia, la clave de esa región enigmática en que se hacen y deshacen los destinos". *El escritor y sus fantasmas,* pág. 19.

kafkiana en un gran pájaro. Los presentes no perciben cambio alguno en él, y sus esfuerzos por enterarlos de su modificación se convierten en espantosos chillidos de pájaro. Los amigos sólo escuchan su voz natural, enunciando cosas normales; el individuo tiene un destello sarcástico en los ojos, y Castel piensa que nadie sabrá jamás de su trasformación. Este sueño ocurre, en forma significativa, después que Castel acusa a María de "estar engañando a un ciego", seguido de la certeza de que también él es engañado; el sentido temático es evidente: habiéndose aventurado en la vida y en las relaciones humanas a través del amor, Castel se ve burlado, pero aunque es consciente de ello, es impotente para establecer la comunicación.[10]

Los dos temas centrales requieren ahora un examen más profundo. A pesar de que la idea de la soledad y alienación del hombre moderno se halla entretejida en la trama misma de la novela, los hechos se trasuntan con claridad: en primer lugar, el narrador-protagonista es la encarnación y conductor del tema; y en segundo, es evidente que la soledad de Castel es impuesta por él mismo, ya que se debe a su negativa exclusiva de

[10] En otros sueños, Castel se ve a sí mismo caminando sobre el techo de una catedral (sueño que le relatara a Sabato un vendedor de libros: Véase *El escritor y sus fantasmas,* pág. 19), corriendo para alcanzar las paredes cada vez más alejadas de su cuarto (pág. 121), y sentado en una pieza oscura, con María y Hunter parados detrás de él con una diabólica expresión de ironía en sus rostros (pág. 129).

ver la realidad.[11] En principio, las circunstancias vitales del personaje central hablan de soledad. Castel, que se impone con violencia al lector como la voz desencarnada proveniente de un mundo desconocido, es un hombre que flota a la deriva, sin vínculos reales. La visión detallada de Castel artista lo coloca por encima y lejos de los otros, y le permite desplazarse sobre las masas, inferiores, desde las alturas de su olímpico desdén.[12]

Su personalidad, que se revela a través de su visión de la humanidad, lo aísla aún más. Ve al ser humano no como individuo sino como tipos categóricos o grupos, a los que detesta sin discriminación: "Diré, antes que nada, que detesto a los grupos, las sectas, las cofradías, los gremios, y en general esos conjuntos de bichos que se reúnen por razones de profesión, de gusto o de manía semejante". Generaliza en forma abstracta cuando dice: "*En general,* la humanidad me pareció siempre detestable". De inmediato encasilla al marido ciego de María de acuerdo con el género y la especie: "Dije ya que tengo una idea desagradable de la humanidad; debo confesar ahora que los ciegos *no me gustan nada* y que siento delante de ellos una impresión semejante a la que me producen ciertos animales

[11] Quizá el aspecto más débil de la novela, porque puede argüirse que un hombre que rechaza y desprecia *a priori* lo que pretende estar buscando está destinado necesariamente a la soledad y al aislamiento.

[12] Véase Gibbs, pág. 430.

fríos, húmedos y silenciosos, como las víboras". Las personas relacionadas con su propia profesión reciben trato similar; se refiere a los pintores, y, por supuesto, a los críticos, como a "conglomerados". Desearía escribir, según nos anuncia, un ensayo titulado *De la forma en que el pintor debe defenderse de los amigos de la pintura.*[13]

Aun en los momentos en que ha de tratar con la gente en forma individual, Castel la ve con temor y sospechas. Habla de "controlar" a las personas, como Hunter y su prima, Mimí, con repentinas y penetrantes miradas. Cuando chico, se desesperaba ante la idea de perder a su madre, a pesar de que espiaba su personalidad implacablemente, para descubrir en ella un defecto, la vanidad, que él encontraba repulsiva. Su primer amor por una mujer que no nombra es calificado de "amor anónimo". La intolerancia de Castel se revela por su repetición de frases como *no soporto, me revienta, me es repugnante,* etcétera, y por adjetivos muy despectivos como *bominable, detestable, insoportable, grotesco, monstruoso, grosero,* etcétera.

La incomunicación que se impone el protagonista se intensifica por su afición a encontrar motivaciones maliciosas en las más inocentes afirmaciones o conducta de los otros. Sin razón aparente, Castel interpreta como simulación hi-

[13] Véase disquisiciones sobre "La comunicación mediante el arte" en *El escritor y sus fantasmas,* pág. 157.

pócrita los elogios que hace el doctor Goldenberg de su pintura y la indignación de Mimí ante las observaciones de Hunter con respecto a las novelas de detectives. Al negar la existencia de impulsos humanitarios en los que dan limosna, concluye que sólo buscan su propia tranquilidad. Así, todas las intenciones humanas caen bajo su examen analítico y su mente tortuosa las vuelve sospechosas. Aun el lector de sus confesiones se torna sospechoso para Castel cuando interpreta negativamente nuestras creencias sobre su motivación para escribir. Recordando al *Hombre del subsuelo,* Castel se dirige al lector a menudo en forma condescendiente: "Podrán Uds. preguntarse qué me mueve a escribir la historia de mi crimen. . . Conozco bastante bien el alma humana para prever que pensarán en la vanidad. Piensen lo que quieran: me importa un bledo; hace rato que me importan un bledo la opinión y la justicia de los hombres". Con aire de superioridad nos recuerda que tenemos el permiso de dejar de leer cuando nos plazca. A pesar de que no oculta que sólo busca la comprensión de sus confesiones por *un* lector, es irónico su deseo de evitar el afecto de la mayoría con su actitud hostil. Uno siente que ha clasificado a "los lectores" como otro simple grupo que detesta, porque su presunción de que carecemos de simpatía hacia él no altera su largo hábito personal de lastimar a la gente.

La manía de Castel por la razón es muy importante para comprender su incomunicación. Trata de encasillar a la vida en modelos preconcebidos, enfocándola sólo con la mente en lugar de apelar al calor humano y a la sensibilidad. Buscando inexistentes significados ocultos fuerza un esquema dentro de una inconsistencia. Así elude la realidad porque sólo busca en ella lo complejo y tortuoso. Sus palabras resumen su actitud: "Yo me pregunto por qué la realidad ha de ser simple. Mi experiencia me ha enseñado que, por el contrario, casi nunca lo es..."

Se aísla tanto en el espacio como en el tiempo. Repetidamente rechaza por repugnantes sus circunstancias espaciales, el mundo y sus habitantes. En todas partes encuentra pruebas de que el universo está plagado de perversidad y maldad: "Que el mundo es horrible, es una verdad que no necesita demostración. Bastaría un hecho para probarlo, en todo caso: hace un tiempo leí que en un campo de concentración un ex pianista se quejó de hambre y entonces lo obligaron a comerse una rata, *pero viva*". Frecuentes exclamaciones de disgusto refuerzan esta actitud absolutista: "¡La hermosura del mundo! ¡Si es para morirse de risa!" La imprecisión y dudas que encuentra contribuyen también a su incomunicación espacial, puesto que la falta de detalles externos le da la impresión de habitar un vacío. Uno siente la presencia de la inmensa ciudad de Buenos Aires, pero Sabato la muestra sólo como un símbolo irónico de la soledad en la muchedumbre. Los sombríos trazos de una metrópoli impersonal sostienen el tema central de la novela, y ocasionalmente tropiezan con la trama de la acción. Castel se refiere a "la tristeza de la ciudad" cuyo conglomerado de altos edificios, que recuerda una pesadilla, calles bulliciosas, parque y puertos están concebidos como un abigarrado desierto poblado por "millones de habitantes anónimos".

En tal ambiente sitúa Sabato al inflexiblemente ridículo y kafkiano interludio con que se describe la persecución de María por Castel a través de las populosas calles del centro y su desaparición en un enorme edificio de oficinas (símbolo de las barreras que separan al hombre de la posibilidad de establecer contacto con los otros seres humanos). Al aparecer la gran masa de cemento ante Castel, la fachada enigmática de la estructura, que no le proporciona indicios sobre el paradero de la mujer, permanece meramente en silencio y lo burla con su gran signo anónimo: "Compañía T". Una vista de la ciudad desde el octavo piso lo enfrenta con la horrible imagen de que ella fue absorbida por el laberinto urbano.

Paralelamente a la incomunicación espacial, se halla su concepto absoluto del tiempo, que también lo separa de los otros. El tiempo cronológico parece alienarlo y continuamente se repliega dentro de su tiempo psicológico: "Fue una espera interminable. No sé cuánto tiempo pasó en los relojes, de ese tiempo anónimo y universal de los relojes, que es ajeno a nuestros sentimientos... Pero de mi propio tiempo fue una cantidad inmensa y complicada..." Más aún, en *El túnel* la humanidad está atrapada en la tela de la incomunicación y la desesperanza. En la primera página de la novela, Castel se da a conocer como *uno* que sólo ve las calamidades del pasado, para compararlas en seguida con la miseria del presente. El futuro no promete nada mejor para estas víctimas del aislamiento, porque todo tiempo se estanca en una eternidad de soledad, como anuncia María en una carta que reitera las palabras de Castel sobre el pasado: *"Es curioso, pero vivir consiste en construir futuros recuerdos; ahora mismo, aquí frente al mar, sé que estoy preparando recuerdos minuciosos, que alguna vez me traerán la melancolía y la desesperanza"*.

En el mundo de *El túnel,* la incapacidad de comunicarse se convierte en la contraparte temática de la soledad y enajenación que padece el hombre. El ser solitario, que se modela a sí mismo escribiendo su angustia, necesita el calor de otro hombre. Busca establecer comunicación de cualquier manera, y la acción de la narrativa toma así los contornos simbólicos del segundo tema. Me refiero al frenético intercambio de llamados telefónicos y cartas que se produce entre los dos personajes. Es significativo el número de cartas, trece, y de llamados, diecisiete. Al discutir con el empleado de correos que se niega a devolverle una carta ya franqueada, nos recuerda: "El correo es un medio de comunicación". Más digno de atención y sutilmente ideado es el desesperado intento de comunicarse a través de las formas artísticas. La clave del quehacer artístico de Castel es su angustioso llamado a la comprensión. En su fracaso, y bajo la presión de su creciente soledad, su arte se vuelve menos inteligible, tal como lo explica cuando la prostituta rumana ríe ante uno de sus cuadros. La anteúltima frase de la novela indica que ya sus obras no pueden comunicar: "Mientras tanto, esos cuadros deben de confirmarlos cada vez más en su estúpido punto de vista". Para los psiquiatras, sus obras incomprensibles son indicios de insanía. Sin embargo, en su aislamiento espiritual, y ya físico, Castel tiene un medio último de comunicación: el escribir. La novela que leemos aquí se vuelve así su postrer esfuerzo desdichado para ir más allá de su celda y comunicarse con solo un lector, como lo dice patéticamente en mayúsculas al principio: "Aunque sea una sola persona".

Consciente de que la comunicación superficial no equivale a la comunión más honda del espíritu, que ansía, enfatiza su "necesidad de comunión". Pone sus esperanzas en perpetuar el momento de verdadera empatía que ha surgido entre él y María ante el cuadro. En cierto modo, la acción de la novela se estructura entre ese momento y el macabro instante en que Castel admite, mediante el asesinato, su incapacidad de recobrar lo experimentado durante aquel breve contacto espiritual. Antes de herirla a María, sus palabras lacónicas, pronunciadas con calma demencial, demuestran su fracaso: "Tengo que matarte, María. Me has dejado solo". El multiplicarse de la acción entre estos dos puntos dramáticos traza el derrumbe de la relación que sigue al éxito inicial y temporario del reencuentro.[14] El *yo* en su soledad, busca experimentar una comunión más significativa con *el otro*. Caste le dice al lector que ha prestado mucha atención a los problemas humanos, especialmente al de la aproximación de las gentes y emplea con frecuencia el equivalente español de *rencontre: encuentro*. A lo sumo, es un "encuentro" transitorio de dos almas en la noche de la existencia

[14] Publicada en 1948, la novela incluye, lógicamente, gran cantidad de términos existencialistas. En su *Historia de la literatura hispanoamericana,* el profesor Anderson Imbert señala que María Iribarne es la primera heroína de la ficción latinoamericana que lee a Sartre. Quisiera agregar que Juan Pablo es tocayo de aquel otro, más famoso, Jean Paul, y que el apellido Castel es la traducción del romance *Das Schloss.* Como fuentes literarias de *El túnel,* cabe mencionar *Le Malentendu* (1944) de Camus. Observamos que la víctima de esta pieza también encuentra dificultades para hallar las palabras que comuniquen su simple mensaje a su madre y su hermana y para experimentar una comunión auténtica con ellas en un nivel emocional. Para una revisión más completa del fundamento existencialista que encontramos en *El túnel* (especialmente con respecto a *L'Etre et le néant* de Sartre), véase el valioso artículo reciente de Marcelo Coddou, "La estructura y la problemática existencial de *El túnel* de Ernesto Sabato", "Atenea", XLIII, 412 (1966), págs. 141-168.

humana, y su permanencia depende de una mutua y total entrega. El "encuentro" frágil, temporario, puede destrozarse por un simple error de cálculo, o una ofensa no intencional mediante palabras o reticencia.

El problema de la soledad se relaciona íntimamente con la idea de la imposibilidad de un intercambio espiritual duradero entre los seres humanos, porque *El túnel,* en toda su extensión, excluye la comunicación efectiva y la perpetuación de aquel mágico momento inicial de compañerismo entre el artista y el espectador ante la obra. Sabato sugiere esta imposibilidad oponiendo con sutileza cinco obstáculos específicos en su estructura ficticia: la dificultad de establecer contacto y comunicación, la inadecuación del lenguaje como instrumento de conversación profunda, el carácter imperfecto y fugaz de toda relación, la incapacidad humana de perpetuar estos momentos transitorios mediante elementos físicos tales como el sexo o aun la muerte y la naturaleza radicalmente distinta del hombre y la mujer. Por su importancia en la estructura narrativa, esta quinta barrera asume proporciones temáticas y recibirá tratamiento por separado.

En cuanto al primer punto, la simple posibilidad de encontrar una criatura hermana se le hace obstáculo casi insalvable a Castel. Ponderando las maneras de volver a establecer el contacto con María, dice: "Había pensado y repensado un probable encuentro y la forma de aprovecharlo. La dificultad mayor con que siempre tropezaba en esos encuentros imaginarios era la forma de entrar en conversación". Rechaza toda aproximación directa y espontánea, ya que las situaciones no ensayadas mentalmente lo paralizan: "Conozco mi naturaleza y sé que las situaciones imprevistas y repentinas me hacen perder todo sentido, a fuerza de atolondramiento y de timidez". Así, sólo puede enfrentar el problema con su única arma, el análisis racional que, irónicamente, lo frustra. Creando una serie de encuentros imaginarios, más reales para él que la realidad misma, desarrolla tal dependencia de sus intrincados razonamientos que es incapaz de actuar ante la situación real. La seria consideración que hace del tortuoso dilema revela su *impasse*; ¿cómo pasar con agilidad, durante un casual encuentro en la calle, de una cuestión tan trivial como la localización del correo a profundas discusiones sobre el arte y la importancia de su pintura para la mujer?

La utilización de imágenes refuerza la idea de la dificultad de establecer comunicación. Las imágenes acentúan el riesgo para Castel y los accidentes de un encuentro. No puede dirigirse a María en la exposición porque tal atrevimiento sería equivalente a "jugar toda su plata a un solo número". Encontrarla en la ciudad es hacer depender toda su futura felicidad de una remota lotería que ha de jugarse dos veces: primero, tiene que encontrarla en la calle, y luego debe ser ella quien habla primero. Castel "baraja combinaciones" durante algunos días, y concluye que es tan probable que su encuentro real sea igual al imaginado como que una llave cualquiera pueda abrir una cerradura desconocida y complicada.

El segundo impedimento para la comunicación es, paradójicamente, el instrumento que el hombre ha creado para comunicarse: el lenguaje. En toda la novela, encontramos la duda sobre la adecuación del lenguaje, el cual es visto, a lo sumo, como un defectuoso medio de comunicación. Explicando su motivación para escribir, Castel evidencia su débil fe en que exista un lector que pueda comprender su mensaje: "Puedo hablar hasta el cansancio y a gritos delante de una asamblea de cien mil rusos: nadie me entendería. ¿Se dan cuenta Uds. de lo que quiero decir?" Con ello significa que a veces, aun en posesión de la palabra, fracasamos al comprenderlas. Otras observaciones también sugieren la inadecuación del lenguaje. Persiguiendo a María en el edificio de oficinas, Castel deduce que ha tomado el ascensor: "Pensé interrogar al ascensorista, pero ¿cómo preguntarle?". En consecuencia, no dice "una sola palabra". Encuentra que el adjetivo "nocturno" es, para describir a María, el de más precisión entre todas las palabras de nuestro imperfecto lenguaje. En la estancia, la noche del asesinato, observa a María paseando y conversando con Hunter: "¿De qué podría hablar María con ese infecto personaje? ¿Y en qué lenguaje?". Constituye un claro ejemplo de incomprensión lingüística una respuesta que acepta como prueba incontrovertible del engaño de María. Convencido —racionalmente— de que ella es una prostituta, sólo necesita una opinión externa para confirmar su creencia. Usa el lenguaje de modo engañoso para burlar al amigo de Hunter, Lartigue: más que preguntar si María es amante de Hunter, inquiere *cuánto* hace que existe esa relación. El lector sabe, si bien no así el narrador, que la respuesta de Lartigue "De eso no sé nada" puede interpretarse de dos maneras, según la entonación, pero Juan Pablo exclama triunfalmente: "Sus palabras eran suficientes".

Castel encuentra defectos aun en la jerga que las sociedades profesionales (ellas mismas un producto de la necesidad de comprensión) crean para servir a sus intereses. Durante el cocktail de los psiquiatras siente repugnancia por algo grotesco e indefinido que más tarde imagina era el alarmante contraste entre el ambiente aséptico y la "esencialmente sucia" jerga empleada por esa gente.[15]

Una profundización en estas investigaciones

[15] Viene al caso para este punto un intercambio sarcástico entre Hunter y Mimí, basado esencialmente sobre juegos de lenguaje. Ambos discuten, entre otras cosas, sobre la pronunciación, traducciones y galicismos, y Hunter aparece como purista por su actitud hacia el lenguaje. (Págs. 100, 101).

del lenguaje revela que, a pesar de que la mayor parte de la narración se da en forma de diálogo, hay, irónicamente, muy poca comunicación. Puesto que los personajes sólo discuten y se insultan, el resultado es el resentimiento, no la comprensión. Cada uno de los tensos duelos verbales entre Castel y María constituye un ejemplo; dos son calificados como absurdos. La violenta y prolongada escena en la oficina de correos, cuando Castel no puede persuadir al empleado de que le devuelva su carta, es un instante vívido de la incapacidad de los personajes de pensar de manera simple. Más aún, en una secuencia kafkiana el individuo es obligado a inclinarse servilmente ante el *reglamento* impersonal del Estado. Así, la comunicación entre el individuo y la autoridad también se elude.

En otros momentos, el que escucha, inmerso en su propia marea de consciencia y abstraído de la realidad, debe tomar sobre sus espaldas la responsabilidad por los fracasos en la comunicación. Una de las ironías más profundas de la novela ocurre cuando María, sentada con Castel sobre un acantilado mirando el mar, confiesa sus sentimientos a Juan Pablo quien, por desdicha, se halla perdido en sí mismo: primero, en un penoso ensueño sobre esta María desconocida, más vital, de la estancia, quien con seguridad pertenece a Hunter; luego, hechizado por la belleza del lugar y el momento, adormecido por la voz femenina en una breve paz de la mente ıólo fragmentos de lo que dice María llegan a a conciencia de Juan Pablo, pero al recobrar a lucidez sabe que ha perdido para siempre la ınica posibilidad de poseer el ser más íntimo le su amante: "Me parecía que María me ha- ɔía estado haciendo una preciosa confesión y ue yo, como un estúpido, la había perdido". Cuando trata de revivir el espíritu del momen- o encantado, ya es demasiado tarde; ahora es lla quien no escucha: "Pero extrañamente, no areció oírme: también ella había caído en una specie de sopor, también ella parecía estar sola". a escena, si bien compuesta en estricta con- ordancia con su punto de vista subjetivo, es un riunfo de la creación de Sabato, ya que ha brin- ado una impresión secundaria, casi simultánea, e la incomunicación de María. El lector per- ıanece confinado, sin embargo, a la perspectiva e Castel; muy poco nuevo descubrimos sobre María, y aun nosotros, como el protagonista, es- ımos seguros ahora de que ella, y posiblemente ɔda la humanidad, también se halla incomuni- ada y comparte la soledad de Castel. Es lógico, or lo tanto, decir que en *El túnel* el diálogo convierte en monólogo.

Si la conversación es imperfecta y permite la ıcomunicación, el lenguaje escrito es aún más npreciso. Un enorme signo anunciando el nom- re de una compañía puede fracasar en trasmi- r su mensaje ya que, como lo razona Castel, muchas veces uno no ve carteles demasiado grandes". La conciencia que Castel tiene de la ambigüedad potencial de la palabra escrita se manifiesta en el cuidado excesivo que pone al escribir las cartas a María, en la elección discriminada de un vocabulario, y en el hecho de que vuelve a copiar todo en orden, para lograr expresar lo que desea, de tal manera que cause el máximo efecto cáustico. Además, los tonos enfáticos de la confesión, sus constantes y patéticas explicaciones, y las frecuentes frases clave en mayúsculas o bastardillas, son manifestaciones estilísticas de su deseo de comunicarse de modo efectivo mediante la escritura. Tales técnicas no sólo caracterizan al personaje revelando su determinación de subrayar ciertos puntos sino que hacen avanzar el tema siempre recurrente del novelista.

En el mundo de *El túnel,* la idea de la precariedad del lenguaje se acentúa por el hecho inverso de que la comunión más auténtica es la que se produce en los intervalos de silencio esos raros momentos de belleza o pena cuando los seres humanos se acercan sin palabras. Castel goza de modo imperfecto uno de estos intervalos de silencio comunitario, sentado en el acantilado con María, al atardecer. (Es interesante notar que estas experiencias se producen por lo general en el crepúsculo.) Antes, Castel había dicho: "Sé que, de pronto, mirando un parque en la tarde o la salida de un carguero de nombre remoto, lográbamos algunos momentos de comunión". En la estancia, los ojos de María trasmiten un silencioso mensaje, indescifrable, de angustia, hacia Juan Pablo. La mención de la clarividencia, por Mimí, y de la telepatía, otras formas de comunicación no verbal, se relacionan con este aspecto. En verdad, durante la misteriosa escena del parque, Castel siente que María ha leído sus pensamientos. Un ejemplo de muda comunión es la referencia que hace Castel, cerca del fin de la novela, a "el lenguaje mudo, la clave de mi cuadro", pues seguramente su cuadro fue la primera y más expresiva palabra en su trágico diálogo.

El tercer factor que subraya la imposibililad de hacer permanente la comunicación humana es la frecuente alusión a la naturaleza efínera de todo encuentro y relación. Una parte pequeña pero significativa de la novela, en que Castel mira a una mujer desde la ventanilla de un tren en marcha, tiene valor simbólico. Sus iernas escenas crepusculares con María, en el parque, o el quedarse mirando cómo los buques le carga abandonan el puerto, son también tranitorias: "Yo tenía la certeza de que, en ciertas ocasiones, lográbamos comunicarnos, pero en orma tan sutil, tan pasajera, tan tenue, que luego quedaba más desesperadamente solo que antes...".

Una vez más, el estilo refuerza el tema. Una mple muestra del afán de Castel por mantener a permanencia de la relación se ahoga bajo los ejemplos de la fugacidad de tal vínculo. Invitado a la estancia, Castel está alborozado y mantiene su confianza con el pensamiento de que su amor moribundo durará, porque "un rey es siempre un rey, aunque vasallos infieles y pérfidos lo hayan momentáneamente traicionado y enlodado". Por desgracia, los momentos de ternura se vuelven "más raros y cortos, como inestables momentos de sol en un cielo cada vez más tempestuoso y sombrío". Dos símiles expresan su resignación a los limitados momentos de comprensión que surgen entre ellos: "tan melancólicamente inasibles como el recuerdo de ciertos sueños, o como la felicidad de algunos pasajes musicales".

Ansioso por retener lo transitorio, cree con cierta ingenuidad, con una *mauvaise-foi* sartriana, que los instantes de comunión pueden eternizarse mediante algún acto concreto. Castel aprenderá la trágica lección de que no puede aprisionar el libre flujo de la existencia en ninguna clase de esencia estable. Consciente del valor trascendente de su interludio con María frente al mar, piensa que poseyendo a la mujer y lanzándose con ella por sobre los acantilados, la muerte los unirá en un abrazo eterno y profundo. De igual modo, su asesinato será interpretado en última instancia como su intento final por fijar, más allá del tiempo, su relación. Sabato ha explicado así el desenlace de su novela: "Por fin, cuando el protagonista mata a su amante, realiza un último intento de apoderarse de ella, de fijarla para toda la eternidad".[16] La incapacidad humana de perpetuar algo transitorio y espiritual mediante un elemento físico como el sexo o la muerte, es la cuarta barrera que Sabato opone a la comunión. Esto se observa mejor, quizá, en la angustiosa consciencia que tiene Castel de la futilidad del acto sexual: "Yo la forzaba, en la desesperación de consolidar de algún modo esa fusión, a unirnos corporalmente; sólo lográbamos confirmar la imposibilidad de prolongarla o consolidarla mediante un acto material".[17] Así, lo más íntimo de la comunión humana es otro obstáculo en el mundo de *El túnel*.

Al describir al hombre como un ser solo, alienado, incomunicado, la visión del universo refleja caos y absurdo. El mundo de Castel es un "gigantesco simulacro", un "absurdo universo" y la vida es una "abominable comedia". En este sentido, *El túnel* es un elocuente testimonio de la época en que fue escrito, y, como tal, concuer-

[16] *Sobre la metafísica del sexo*, pág. 39.

[17] Sabato ha escrito: "Muerte y cópula son fenómenos emparentados y ambas tienen que ver con una angustia metafísica, ambas se vinculan a cierto pavor cósmico en el macho, a cierta ansiedad por apoderarse a todo trance de la realidad, del mundo que se le escapa de entre los dedos, a una ansiedad por lo absoluto y lo eterno... Es que en la posesión está ya latente la desesperación de lo transitorio, la sombría certeza de que eso ha de terminar y de que al fin no habremos pasado de la superficie de "algo", de algo que jamás podremos aprehender ni fijar, que se irá para siempre de nuestro lado para dejarnos solos una vez más". *Ibid.*, págs. 37, 38.

da con la teoría de la novela que expone Sabato. El autor ve como una "paradoja de la ficción" el hecho de que, aunque el lector olvide la realidad al ir entrando en la ilusión, ésta es siempre un indicio revelador de tal realidad.[18] La tensión insoportable de *El túnel* y su atmósfera torva, estructurados sutilmente por la referencia de Castel a los campos de concentración, a los refugios durante la guerra, y a la inhumanidad general del hombre, reflejan el ambiente que prevalecía en el mundo de 1946. Son especialmente significativas estas palabras de Sabato con respecto a *El túnel*: "Pero aun en aquellos escritores o novelas que se ocupan de los problemas puramente psicológicos sucede lo mismo, aunque no nos den una descripción externa y gruesa del mundo en que sucedían. Indagar los problemas psicológicos de un hombre significa indagar su conflicto con el mundo en que vive".[19] La falta de orientación de hoy, la carencia de sentido en la vida, la angustiosa toma de conciencia del fracaso de la razón humana para tra-

[18] *El escritor y sus fantasmas*, pág. 242. La idea de que el novelista y su obra son testigos y testimonio de su tiempo, es un *leitmotiv* de *El escritor y sus fantasmas*; v. gr.: "Pues si es profundo, el artista inevitablemente está ofreciendo el testimonio de él, del mundo en que vive y de la condición humana del hombre de su tiempo y circunstancia. Y dado que el hombre es un animal político, económico, social y metafísico, en la medida en que su documento sea profundo también será (directa o indirectamente, tácita o explícitamente) un documento de las condiciones de la existencia concreta de su tiempo y lugar." (pág. 147. Véase también págs. 23, 33, 48, 49).

[19] *Ibid.*, pág. 34.

tar con la realidad, se resumen en la comparación que Castel realiza entre sí mismo y un aturdido capitán de navío: —"¡No es que no sepa razonar! Al contrario, razono siempre. Pero imagine usted un capitán que en cada instante fija matemáticamente su posición y sigue su ruta hacia el objetivo con un rigor implacable. *Pero que no sabe por qué va hacia ese objetivo, ¿entiende?*"

Con su razón, el hombre trata de imponer forma y contenido sobre el caos universal que observa. La naturaleza cerebral del protagonista de *El túnel,* que se enreda en una "serie interminable de preguntas, hipótesis y sus conclusiones lógicamente desarrolladas (y) silogismos",[20] es evidente. Castel tiene conciencia de su racionalidad, y los críticos de arte también reconocen en su trabajo una cualidad profundamente intelectual. En rigor, su única creación intuitiva fue una parte del cuadro que trasmitiera sus sentimientos a María. En la oficina de correos, insiste en que —"El reglamento... debe estar de acuerdo con la lógica". Sus gestos inconscientes, esos complicados dibujos geométricos hechos en el suelo mientras conversa con María muestran más adelante su tendencia racionalizante. Sabato hace girar su novela de adentro hacia afuera, por decirlo así, mostrando al especulativo protagonista en una "duplicación interior" en miniatu-

[20] El profesor Gibbs dice además que el lenguaje de Castel contiene "una abundancia de palabras y frases apropiadas al proceso de razonamiento", *op. cit.*, pág. 431.

ra.[21] La teoría de Hunter sobre la novela poli cial se relaciona con *El túnel*, ya que Juan Pa blo no sólo enfoca la realidad con los método racionales de un detective, sino que, al igual qu el protagonista de una novela con la que Hunte proyecta ejemplificar su teoría, la lógica de Cas tel lo lleva a un destino similar: el asesino y e detective son una misma persona.[22] Habiend asesinado a María, la confesión de Castel tom la forma de una indagación en los motivos de crimen. A pesar de que los resultados literario de tal investigación (*El túnel*) constituyen si duda un *Don Quijote* del siglo veinte (Hunte ha sugerido una sátira de la novela policial) ella es, como lo anuncia Hunter, "algo divertid trágico, simbólico...".[23]

2. *Metafísica sexual*

Hemos visto que Sabato ha creado con Cast un ejemplo extremo de ser racional. Much críticos han notado, sin embargo, que María Ir

[21] Véase Leon Livingston, "Interior Dupplication and the P blem of Form in the Modern Spanish Novel", PMLA, LXX (1958), págs. 393-406.

[22] La novela propuesta por Hunter recuerda a Jorge L Borges, *La muerte y la brújula*.

[23] Los notables símiles naturales que presenta Sabato refu zan el carácter excesivamente cerebral de Castel. El person compara sus construcciones imaginarias a "reconstrucciones un dinosaurio realizadas a partir de una vértebra rota" (p 32). Sus caóticos pensamientos durante el seguimiento de Ma son como "un gusano ciego y torpe dentro de un automóvi gran velocidad" (pág. 30). Sus dudas y los complicados inter

barne es una representación extrema de la mujer, la personificación del amor.[24] Las diferencias biológicas, psíquicas, y metafísicas que separan ambos sexos generan el conflicto central de *El túnel*, que se estructura sobre los cinco ya mencionados obstáculos que dificultan la permanencia de la comunicación humana en un nivel profundo.[25] Como la contribución más original, e indudablemente más pesimista de Sabato a los temas de la soledad y la incapacidad de comunicación, se convierten en el tercer tema de la novela. En tanto artista, Sabato vuelca a la literatura, intuitivamente, la idea de que la naturaleza tan distinta del hombre y la mujer los vuelve seres incomunicados. Expresa sus preocu-

---

gantes que destruyen su amor son como "una liana que fuera enredando y ahogando los árboles de un parque..." (pág. 77). Otras imágenes demuestran también que es consciente de sus procesos mentales y lo caracterizan como *un cerebral*. (Véase págs. 24, 64, 119.)

[24] Sabato es consciente de la naturaleza extrema de sus criaturas ficticias. Véase *El escritor y sus fantasmas*, pág. 13. El profesor Fred Petersen ha interpretado recientemente a la novela dentro de un contexto freudiano de conflicto edípico, y señala acertadamente que gran parte de los elementos artísticos de la obra se hallan "relacionados con la femineidad o la maternidad". Véase *El túnel: Más Freud que Sartre, Hisp.*, L (1967), págs. 271-276.

[25] Esto se relaciona, por supuesto, con el concepto pesimista del amor que sustenta Sabato y con su *Weltanschauung*. Como escribió un crítico: "Los amores que crea Sabato no sólo son imposibles, tan ficticios y extraordinarios, que *están condenados desde su nacimiento mismo* (*extraordinario también*), sino que revelan una concepción del mundo sin esperanza, una soledad sin salidas.", Ludmer, "Ernesto Sabato y un testimonio del fracaso". *Boletín de Literaturas Hispánicas* (1962), pág 84.

paciones metafísicas en un contexto ficticio en el que incluye una pareja real que no deja de ser particular y humana por las dimensiones casi alegóricas que adquiere.[26] En un ensayo escrito cuatro años más tarde, el autor establece los atributos incompatibles de ambos sexos: "La lógica es atributo del hombre (en el sentido platónico del vocablo), la intuición, de la mujer. El hombre es un ser racional, la mujer es un ser irracional. El hombre tiende al mundo de lo abstracto, de las ideas puras, al panlogismo. La mujer se mueve mejor en el mundo de lo concreto, de las ideas impuras, de lo ilógico. El instinto es ilógico, pero no falla en las cosas de la vida, que no son nunca lógicas; el hombre fracasa cómicamente queriendo aplicar la lógica a la vida." [27] Sabato reitera en forma aguda esta

[26] Para las observaciones de Sabato sobre los problemas de creación con que tropezó al incluir preocupaciones metafísicas en *El túnel*, véase *El escritor y sus fantasmas*, págs. 13, 14.

[27] *La metafísica del sexo*, pág. 32. Es significativo que Sabato se ocupe extensamente de *El túnel* en este ensayo que insiste sobre la naturaleza incompatible del hombre y la mujer. El pensamiento del novelista acerca de la metafísica del sexo estaba condicionado, como lo establece él mismo al principio de su artículo en *Sur*, especialmente por los escritos del sociólogo alemán Georg Simmel, que se dio a conocer en la Argentina gracias a los empeños de Ortega y Gasset. La admiración de Sabato por Simmel es evidente: "De los que yo conozco, los estudios de Simmel son los más agudos y estimulantes" (pág. 25). El autor de *El túnel* ha leído probablemente una edición parcial de los ensayos de Simmel, en castellano, publicados bajo el título de *Philosophische Kultur (Gesammelte Essais)*, ed. *Philosophischsoziologische Bücherei*, tomo XXVII (Leipzig, 1911). Los doce ensayos del volumen alemán fueron traducidos al castellano por Eugenio Imaz, José R. Pérez Bances, M. García Morente y Fer-

idea central hacia el final de sus reflexiones: "Habrá siempre un hombre tal que, aunque su casa se derrumbe, estará precupado por el Universo. Habrá siempre una mujer tal que, aunque el Universo se derrumbe, estará preocupada por su casa". [28]

En *El túnel*, el conflicto hombre-mujer, presentado en principio a través del fracaso de los protagonistas para lograr la mutua comprensión, se revela también de maneras más sutiles. La frustración de la principal relación amorosa tiene notables paralelos en la imperfección de todas las relaciones hombre-mujer que encontramos en la novela. Por ejemplo, Hunter está separado o divorciado de su mujer (Castel no sabe con seguridad si es separación o divorcio). El matrimonio de Allende y María está lejos de ser modelo ya que, si bien satisfecho de la vida que llevan ambos, el ciego admite que no com-

nando Vela, y publicados bajo el título de *Cultura femenina y otros ensayos* (Madrid: Revista de Occidente, 1934). Cuatro de estos ensayos fueron reeditados en la colección Austral (Nº 38) en 1938, 1939 y 1941 con los mismos títulos que los de la edición de Revista de Occidente. Los estudios incluyen títulos importantes: "Cultura femenina" ("Weibliche Kultur"), "Lo masculino y lo femenino" (Das Relative und das Absolute im Geschlechter-Problem), "Filosofía de la coquetería" (Die Koketterie) y "Filosofía de la moda" (Die Mode). Mientras que el segundo de los ensayos mencionados (cuyo título original es más revelador) es el que más se adecua a esta interpretación, muchas de las ideas expresadas por el sociólogo alemán en este volumen se traslucen en "Sobre la metafísica del sexo", de Sabato. Estoy en deuda con el profesor Juan López-Morillas por haberme sugerido este camino de investigación.

[28] *La metafísica del sexo,* pág. 46.

prende los extraños impulsos de María. Dondequiera que se enfrenten el hombre y la mujer, surge la tensión: en los encuentros de Castel y María, en la relación de ésta con Hunter (espiada por Castel), se conforman otros tantos fracasos. Finalmente, la observación que hace María a Castel: —"Temo que *tampoco tú* me entiendas" (bastardillas mías) sugiere que ha tenido otros contactos penosos con los hombres.

Así, María es como una llama rodeada de "polillas" (hombres), la mayoría de ellas reales, otras imaginadas por Castel. En todo caso, el trío masculino de su vida (Allende, Hunter, y Castel) tiene su paralelo en otro trío de hombres de su pasado a los cuales se refiere en el curso de la narración: "pobre Richard", un misterioso primo Juan con el cual le sucedieron hechos crueles y tormentosos, y un hombre al que alude vagamente como su "error". En su ansia de monopolizar el calor y la luz de la llama, una "polilla" (Castel) cae demasiado cerca del fuego, que lo consume. María previene en vano a Juan Pablo.

Desde el punto de vista literario, María representa el arquetipo de la mujer, dadora de amor y comprensiva para el hombre que la acecha, angustiado. La mujer da, el hombre toma. Ella es todo para él: amante, esposa, hermana y madre.[29] María tiene la misión de cumplir simbó-

[29] Sabato escribe en otra parte: "Ella (la mujer) es la unidad absoluta y anterior a toda escisión. En la mujer *se da a la vez*

licamente estas funciones para con Hunter, Allende y Castel. (Podemos inferir que tuvo una relación similar con los tres hombres de su pasado. Sin embargo, este trío también se deshizo, así como se destroza el actual en la misma novela.) La sospecha que abriga Castel, de que María es amante de Hunter, probablemente es correcta. Allende es el marido, pero ella confiesa a Castel que ama al ciego "como a un hermano". Más revelador, sin embargo, es el instinto maternal de María y las muchas repeticiones de palabras tales como *niño, chiquillo, puerilidad,* etcétera, con referencia a Juan Pablo.[30] También es importante para Castel el descubrimiento de que María consiente en tener intimidad física sólo después de haberle confesado el sentido maternal o fraternal de su cariño.

Este motivo *hombre-niño* es introducido durante lo que el narrador llama más adelante, la "dolorosa escena de los fósforos". Con María en la oscuridad, Castel le exige una declaración de su amor. Cuando la prolongación de su silencio lo incita a prender un fósforo, descubre que ella está llorando. María admite que lo ama, pero sostiene que ciertas cosas es mejor no decirlas. Insatisfecho, él insiste en que hay "varias maneras de amar", por ejemplo, "la manera en que se ama a una criatura". Al encender otro

la amante, la esposa y la madre ..." *Ibid.*, pág. 41. Bastardillas mías.

[30] Véanse especialmente págs. 68-79, 114-115, 119.

fósforo, Castel nota los trazos de una esfumada sonrisa en los labios de la mujer.[31] Se sucede una discusión sobre sus edades, durante la cual María demuestra sus instintos maternales y dice "Sos joven, realmente". Castel termina atribuyendo a esta escena un "significado profundo" y el lector deduce que el punto principal de la "conversación aparentemente trivial" es precisamente lo que le ha preocupado: que hay diferentes maneras de amar, y que María lo ama de un modo extraño.

Sabato afirma que la mujer es fuente del amor, y que el hombre debe contentarse con el amor que le toque recibir, ya que sólo esto puede rescatarlo de su soledad metafísica y miedo al perecimiento. La tragedia explota con la destrucción, por obra de Castel, del delicado equilibrio que logra María entre los hombres que la rodean: Castel exige la excluyente posesión de su amor, de una manera en que sólo se puede anhelar lo absoluto (véase nota 16). No está satisfecho (como sí lo están Allende y Hunter, al menos en apariencia) con la porción compensatoria de su afecto, y, en su infantil *insensatez,*

[31] Los vanos esfuerzos por encontrar un profundo sentido en el acto sexual, tan evidentes en la novela, fueron tratados por Sartre en la III parte de *L'etre et le Néant,* como lo ha demostrado Coddou (véase arriba, nota 20). La idea, sin embargo, es más antigua, ya que encontramos una intuición notablemente vívida del angustioso problema, incluyendo la mención de "los restos de una risa" o sonrisa en los labios de la amante, en el Epílogo al Libro IV de *De Rerum Natura,* de Lucrecio. Debo al profesor Paul Olson esta observación.

destruye lo que no puede poseer de modo absoluto: la mujer.[32] La palabra *insensato*, importante en relación con el tema del *hombre-niño*, establece una referencia esencial en la explicación del fracaso de Castel en cuanto ser humano. Anunciando la significativa acusación de *insensatez* que le formulará Allende al final del libro, encontramos estas palabras del protagonista, quizá la expresión más lúcida de toda la confesión:

> Ahora que puedo analizar mis sentimientos con tranquilidad, pienso que hubo algo de eso en mis relaciones con María, y siento que, en cierto modo, *estoy pagando la insensatez* de no haberme conformado con *la parte de María que me salvó* (momentáneamente) de la soledad. Ese estremecimiento de orgullo, ese deseo creciente de posesión exclusiva, debían haberme revelado que iba por mal camino, aconsejado por la vanidad y la soberbia. (Bastardillas mías).

A la luz de estos comentarios, la siguiente afirmación que hace Sabato en su ensayo clave toma gran importancia: "Para la mujer, las ideas puras no existen y no tienen sentido; son casi

[32] Sabato ha dicho acerca del simbolismo erótico que entraña el asesinato de María: "También debo a un penetrante lector una observación valiosa sobre esa muerte, que me ha iluminado sobre este problema: Castel mata a María con cuchillo, a puñaladas sobre su pecho y su vientre porque es la única muerte que se asemeja a la posesión sexual...", "La metafísica del sexo", pág. 39. El autor no ha notado, sin embargo, que Castel hunde el cuchillo en el pecho y vientre, los órganos que distinguen a la mujer físicamente y constituyen las fuentes de la maternidad y la procreación.

un juego insensato, la prolongación de la insensatez infantil. Y si las tolera, si las escucha y hasta si las admira es en virtud de su maternal ternura por los hombres que la rodean y que es capaz de admirar hasta en sus actos de demencia.[33] Más aún, hablando de sí mismo en *El escritor y sus fantasmas*, dice: "Castel expresa, me imagino, el lado adolescente y absolutista, María el lado maduro y relativizado". Los dos pasajes de *El túnel*, donde Castel relata la abismal sensación de edad que siente en María se vinculan también con el motivo del *hombre-niño*. En su disparatada procura de lo absoluto y eterno, *el hombre es, para la mujer, un niño*. Ante sus ingenuos aunque desesperadamente serios "juegos" metafísicos, ella sonríe con amor y compasión como una madre comprensiva, de un modo muy parecido al que lo ha descrito Castel en su pintura "Maternidad".[34]

Por lo tanto, en el centro temático de la novela y al principio y final de la estructura argumental, hay una pintura que constituye representación gráfica y sintética del tema y la forma del libro. La novela surge, literalmente, de esta pintura, cuyas dos partes esbozan los componentes temáticos de la ficción: como Castel imagina,

[33] *Ibid.*, pág. 35.

[34] "Después de haber probado que el mundo es inmóvil, Parménides se quedó tan tranquilo y orgulloso; mientras su mujer —si es que la tuvo— ha de haberlo mirado con una mezcla de orgullo, compasión y perplejidad, como la madre al niño que juega seriamente a ser general." *Ibid.*, pág. 31.

la pequeña escena en la ventana sugiere la "soledad ansiosa y absoluta" de la existencia humana; la escena principal representa el resultado de la trágica imposibilidad de comunión entre el hombre y la mujer, originada en parte por la esencia diferente de los dos sexos: es la metafísica del sexo, de Sabato. Las palabras de María pueden aplicarse a las dos partes del cuadro: "La felicidad está rodeada de dolor". Castel concreta cuando se refiere a su obra: "Todo esto tiene algo que ver con la humanidad en general...". La humanidad ha confirmado esta escena alegórica a lo largo del tiempo, como piensa el protagonista: "...nos conocíamos desde siempre, desde mil años atrás". Con intuición femenina, María también percibe esta verdad: "A veces me parece como si esta escena la hubiéramos vivido siempre juntos". En su carta escrita en la playa, pregunta: *"¿Has adivinado y pintado este recuerdo mío o has pintado el recuerdo de muchos seres como tú y yo?"*

El arte se convierte así en el único medio de comunicación de la novela, pues si la tela expresa el "mensaje de desesperanza" de Castel, es igualmente expresivo para María. Al preguntársele si la escena es real, ella responde con una afirmación. Más adelante, esto se vuelve literalmente cierto a medida que María vive el cuadro, trasformada en la niña solitaria de la playa. El arte se convierte en realidad; realidad ficticia. María escribe: *"El mar está ahí, permanente y rabioso. Mi llanto de entonces, inútil; también inútiles mis esperas en la playa solitaria, mirando tenazmente el mar"*. Estos mismos sentimientos los comparte Castel. Reunidos por el cuadro, éste desaparece de su existencia, como sucede con su breve reencuentro. Con gran previsión, la ruptura final de las relaciones humanas está simbolizada por la destrucción del cuadro, realizado con el mismo cuchillo con que el pintor mata a María. Cuando a través de su ira se le presenta la borrosa visión del cuadro destrozado que representó el único acto auténtico de su vida, exclama con angustia y desesperanza: "¡Ya nunca más recibiría respuesta aquella espera insensata! ¡Ahora sabía más que nunca que esa espera era completamente inútil!"

La tragedia de Juan Pablo Castel surge de sus vanos esfuerzos por explicar la vida, más que participar de ella; de ser comprometido *engagé*. En otro nivel de interpretación, entonces, *El túnel* representa la deshumanización del hombre moderno por su excesiva fe en la razón y sus consecuencias naturales: la ciencia y la tecnología. La misma herramienta con que el ser humano ha conseguido los triunfos culturales y técnicos se ha trasformado en el instrumento potencial de su anulación, porque el hombre ha descubierto, con pena, que la razón, la ciencia, y los sistemas filosóficos no son un medio de hallar solución a los problemas vitales y humanos, ni pueden ser los últimos valores de hombre. Con estos instrumentos se ha logrado poner cierto orden en el caos, pero el proceso ha engendrado un mundo monstruoso y mecanizado, cuya primera víctima es el hombre mismo. En su ansia por lo absoluto y por respuestas universales, el ser racional se ha desplazado hacia su "túnel" de soledad. El fracaso de Juan Pablo Castel, como ser humano, representa también el de la ingenua fe que hemos depositado en el poder de la razón. Esta crisis de nuestro tiempo es, a mi juicio, similar a aquella que soportó Ernesto Sabato cuando dejó el mundo de la ciencia para abrazar la literatura y los estudios humanísticos. *El túnel* nos recuerda que el hombre prefiere, quizá, el desorden dinámico de la vida, antes que el universo falto de vitalidad y deshumanizado que engendró la razón.[35]

[35] Ciertas partes de *El escritor y sus fantasmas* también sostienen esta interpretación de *El túnel,* y revelan que las más amplias implicaciones de la novela son permanentes preocupaciones del autor. Véase especialmente el ensayo que constituye el núcleo de *El escritor y sus fantasmas,* titulado "Las letras y las artes en la crisis de nuestro tiempo", en el cual Sabato observa: "La vida del hombre no puede ser regida por las abstractas razones de la cabeza sino por aquellas que Pascal había denominado *les raisons du coeur.* La vida desborda los esquemas rígidos, es contradictoria y paradojal, no se rige por lo razonable sino por lo insensato. ¿Y no significa esto proclamar la superioridad del arte sobre la ciencia para el conocimiento del hombre? Ya que precisamente el arte es la indagación y la expresión de lo individual y concreto" (pág. 74). Cf. también las partes significativamente tituladas "Fin de una era masculina" (pág. 160) y "Soledad y sexo" (págs. 173-174).

V

*La correlación "sujeto-objeto" en la ontología de Jean-Paul Sartre y la dramatización fenomenológica en la novela "El túnel" de E. Sabato.**

HELMY F. GIACOMAN
(Adelphi University, Long Island, N. York)

> "Eso se llamaba parpadeo. Un pequeño relámpago negro, una cortina que cae y se levanta: el corte ya está. El ojo se humedece, el mundo se aniquila."
>
> (J. P. Sartre, *A puerta cerrada,* esc. I.)

> "*La obsesión de Sartre*: En toda su obra reinan dos obsesiones: la suciedad y la mirada; pero ambas derivan de una sola poderosa y central: el cuerpo... ¿Cuál es el sentido menos corporal, más intelectual? La vista, sin embargo, es para Sartre no meramente contemplativa sino activa: ordena la realidad, crea el mundo desde el caos, es demiúrgica."
>
> (E. Sabato, *Heterodoxia.* Bs. As. Emecé, 1953.)

* Esta monografía se leyó en la Convención Nacional de los profesores de Lenguas Modernas de Los Estados Unidos, en diciembre de 1968.

La segunda cita sintetiza la relación "sujeto-objeto" en la fenomenología de Jean-Paul Sartre. Unida a la primera, forma el núcleo central de las entidades que dependiendo y derivándose de esa mirada constituyen la problemática de la comunicación humana. Esas variantes se encuentran expuestas en la tercera sección del libro *L'Etre et le Néant* de Sartre.[1] Esta interpretación tiene como objeto el estudio correlativo entre esa sección expuesta por el filósofo francés y su dramatización en la novela *El túnel* de Ernesto Sabato.

Sartre es autor literario; aún más, según muchos críticos, su fuerte posición en el campo filosófico se debe, en una gran parte, a la dramatización literaria presente en sus obras. Ernesto Sabato no presenta en su obra los alcances teóricos que su ensayística contiene, sino que dramatiza algunos planos —tal como la relación "sujeto-objeto" que mencionaremos aquí— estrechamente relacionados con los supuestos antropológicos en el existencialismo sartreano.

[1] Jean-Paul Sartre, *El Ser y la Nada.* Buenos Aires, Losada, 1966. Toda referencia a esa obra será hecha a esta edición española.

I

Según Sartre, el hombre debe forjarse de la autocreación —la formación de la esencialidad personal— debido a que no existe una esencia única de humanidad a la cual podamos tomar como modelo. Lo único que nos queda es el cuerpo. Pero no se entiende éste en un sentido biológico-universal. Al contrario, lo que tiene importancia es *este* cuerpo, unido a *estas* condiciones, incorporadas a *esta* personalidad. Por lo tanto toda explicación de los síntomas conscientes —tal como la crítica freudiana ha intentado establecer en *El túnel*— en forma de expresiones de normas subconscientes universalmente reconocibles, es esquivar el problema de la conciencia individual. La interpretación psicoanalítica del hombre está errada ya que estudia el determinismo intuitivo del hombre y no su problemática libertad; llega a conclusiones generales, a cuadros sinópticos, y no al estudio y comprehensión de cada ser.

Sartre parte de una ontología existencial. Pero en ésta no caben relaciones con la ética tradicional, ni siquiera con la epistemología. Allí se arranca de un análisis nuevo del ser y no del nuestro en cuanto a su diferenciación con los otros seres. En realidad, nosotros *somos* en relación a otros. Pero gracias a esta circunstancia fenomenológica, la relación se establece de un modo inmediato y absoluto, no por medio de un proceso cognoscitivo. Lo que nos revela la presencia de otro sujeto es el hecho de que nos mire. No el hecho de que dirija su mirada hacia mí, sino la transformación que tiene lugar para mi mundo en esa mirada inicial. Es allí, en esa experiencia, donde descubro que me estoy convirtiendo en un simple objeto en la mente del que me mira. Dejo de ser un ente trascendental y creador de mi mundo independiente y libre. Mi cuerpo que era para mí un *estar-en-situación*, una realidad concreta dentro del ámbito de mi naturaleza, pasa a ser —para el ser que me está mirando— una cosa-cuerpo *únicamente*. Algo dentro de un horizonte limitado por el mundo del que me mira, como una silla. Mi ser como objeto pasa a ser percibido por mí como un cogito ligeramente ampliado:

> "El cogito cartesiano no hace otra cosa que afirmar la verdad absoluta de un hecho: el de mi existencia; de igual manera, el cogito ligeramente ampliado del que nos servimos aquí nos revela como un hecho la existencia de otro y mi existencia para otro".[2]

La existencia que se me revela detrás de la mirada de otro, o sea, en el ámbito de su mundo ontológico, es para mí un anonadamiento dado que de sujeto libre paso a ser objeto en la conciencia del que me mira. Al intentar sobreponerme y recobrar mi libertad y mi mundo de

[2] *Ibid.*, pág. 362.

la posesión del otro, surgen una serie de conflictos que constituyen, según Sartre, las relaciones intersubjetivas posibles: "El conflicto es la significación original de ser-para-otro".[3]

El efecto inmediato de la mirada de la que he sido objeto es una especie de "hemorragia interna de mi mundo el cual sangra en dirección al intruso".[4] Se ha producido una ruptura en mi universo y la primera reacción es la del temor: temor de ser trascendido en mi condición de agente libre. La siguiente reacción es la vergüenza al ser visto por el intruso como un objeto despreciable. La única alternativa que se me presenta es volverme hacia el intruso y amenazarle con mi trascendencia de agente libre. En ese caso mi orgullo le amenaza con anonadarlo. Desde esa situación fenomenológica una serie de conflictos se presentarán en la comunicación entre dos personas. Todas las relaciones entre el yo-mismo y el intruso son, en un sentido fenomenológico, un combate de anonadamiento. O él en su calidad de agente libre me transforma en objeto trascendido por su subjetividad, o yo, en busca de mi libertad existencial, anonado la suya. Esa será la base del conflicto, pero no su solución, ya que la victoria no se presenta ni para mí o para él. Según Sartre, ni siquiera el asesinato nos puede ofrecer una solución definitiva: la víctima, por haber existido, ha ame-

[3] *Ibid.*, pág. 455.
[4] *Ibid.*, pág. 333.

nazado y sigue amenazando, en mi memoria, mi libertad. El combate prosigue, asalto tras asalto, ya que se trata de un círculo cerrado. La primera cita de esta monografía dramatiza el hecho claramente.

Nuestro filósofo nos dice que existe una escapatoria "aparente" al ser objetificado. Esta "solución" se lograría al sustituir mi vergüenza por mi voluntad. En ésta yo acepto mi condición de objeto y trato, como objeto seductor y atractivo, de apoderarme de la libertad del que me mira: lo aprisiono para que sólo viva y piense en mí. Esta "solución" resulta falsa, sin embargo, ya que lo que yo creo es una "imagen" de mí mismo la cual representa la objetificación falsa de mi libertad. Para poder encontrar esa imagen mía necesito objetificar al otro. Pero lo único que encuentro es desilusión al descubrir mi imagen falsa, no lo que realmente soy, sino lo que le he parecido a él. Esta situación me anonada del mismo modo que el orgullo del que me mira.

Prosigue Sartre explicando los aspectos que, derivándose de las variantes expuestas, se hallan centradas en la sexualidad existencial. Para él la sexualidad no es sicológica sino ontológica. Los hechos contingentes de tener este u otro sexo son secundarios. Tampoco tiene importancia ontológica el hecho de tener este o este otro hábito de expresión sexual. Lo trascendente es que *yo soy un ser sexuado*. Esta modalidad corporal resulta depender directamente de la dualidad antagónica inicial: o el amado me objetifica o yo lo trasciendo.

Esta lucha existencial de dos seres sexuados es presentada con la definición de amor como la personificación del deseo de ser amado. Esto quiere decir que yo en mi calidad de objeto quiero seducir la libertad de otro para forzarlo a que sólo piense en mí, que yo me convierta en la fuente y constitución de su existir. En otras palabras, el amor es la tentativa del yo-mismo transformado voluntariamente en objeto para alcanzar una totalidad absorbente en la libertad del otro ser. Pero el enamorado, o sea el otro ser, tratará al mismo tiempo de capturar mi libertad inexistente. Yo fracaso porque al buscar mi imagen encuentro una falsa de mí mismo. El otro ser lo hace debido a que quiere posesionarse completamente del ser amado. Uno y otro, al intentar lograr la calidad de objetos seductores, quieren que la vida del amado —en donde residirán en calidad de objetos seductores— *sea digna de ser vivida.*

Existe una escapatoria aparente al conflicto descrito: que no intente buscar mi imagen en la libertad del otro ser. Sin embargo esta solución llamada por Sartre "de mala fe", desemboca en el estado masoquista. En esa última situación amo la vergüenza de mi objetificación y me esfuerzo en insistir en ser objeto. Como tal gozo mi falsa emoción a pesar de saberme culpable.

Al mismo tiempo soy deshonesto con el agente que me ha objetificado ya que no trasciende mi objetividad, sino que permanezco objetificado independientemente de su trascendencia. Sin embargo el masoquismo también fracasa. Yo soy un ente libre y es mi propia voluntad existencial quien me transforma en objeto permanente. Es cierto que puedo tratar de lograr la condición opuesta: reducir al otro ser a objeto. El resultado, en mi calidad de imposible objeto hacia el otro, sería la *indiferencia total*. En esta actitud tomo a agentes libres, únicamente, en relación a sus cualidades funcionales: cocineros, artistas, etc. Pero en cualquier momento esos seres, al buscar sus auténticas imágenes, pueden amenazarme con sus trascendencias.

Finalmente, y en un plano más agresivo, yo podría intentar obtener el anonadamiento total del otro ser. Esto nos llevaría al plano del deseo sexual. Tratar de lograr que el otro *se encarne*. Que yo pueda atraparlo en su propio placer subjetivo al reducirlo a su carne. El medio que se me presenta para ello es convertirme en carne a la vez. Debo usar de la caricia como etapa inicial y, gracias al contacto físico, intentar la posesión ontológica del otro ser. Sin embargo, esta etapa también fracasa ya que la apetencia sexual depende, en último término, de estructuras fisiológicas. El placer, inmediato al principio, produce al reflexionar una conciencia del mismo: éste se convierte en fin y no en medio.

Al buscar mi placer me desoriento y me pierdo, ya que para trascender la "conciencia encarnada" del otro, debo de dejar de ser carne. Eso me conduce a un estado especial: el sadismo, ya que lo que el sadista busca es que el otro sea trascendido y dominado por su propia carne. El recipiente y su carne se encierran en una relación de objeto a objeto y no a la situación sujeto-objeto. El sadista goza, por definición fenomenológica, en ser potencia apropiadora y en dejar a la libertad de otro cautiva de su propia carne. El sadismo fracasa ya que intenta atrapar la libertad corporal —en un comienzo— y esa preciosa cualidad se le escurre para ser dominada por el objeto sádico. Como ya dijimos ni el asesinato ni el odio ofrecen solución definitiva a esas relaciones intersubjetivas.

II

> "Caminaba por mi celda noche y día. De la ventana a la puerta, de la puerta a la ventana. Me espié. Me seguí el rastro. Me parece que pasé una vida entera interrogándome, pero qué, el acto estaba allí."
>
> "¡Muerta! ¡Muerta! ¡Muerta! Ni el cuchillo, ni el veneno, ni la cuerda. *Ya está hecho*, ¿comprendes? Y estamos juntos para siempre."
>
> Jean-Paul Sartre, *A puerta cerrada*, Buenos Aires, Losada, 1962. Esc. V. (El subrayado es de Sartre.)

La problemática de dos personajes —Garcín en la obra *A puerta cerrada*, de Sartre, y Castel en la novela *El túnel,* de Sabato— se desarrolla entre las dos citas expuestas arriba. Ambos protagonistas nos cuentan sus vidas desde similares lugares, estando allí reclusos y para siempre en el infierno sartreano. Garcín en compañía de dos mujeres, especialmente de Inés —la cual ocupa un plano fenomenológico paralelo a nuestra María en la novela argentina— y Castel con esta protagonista.

Para ambos, el hombre debe formarse a partir de la autocreación ya que ninguno acepta una esencia única de humanidad. Debido a la existencia de la nada sartreana, ambos empiezan el análisis de su problemática por medio de interrogaciones; modos de condena debido a su libertad: los interrogatorios de Castel constituyen una excelente prueba de ello.

El protagonista de *El túnel* se halla diferente de los demás desde el principio de la novela. Para nuestro pintor "el mundo es horrible" y su memoria vital "es como la temerosa luz que alumbra un sórdido museo de la vergüenza". Esto obedece a la creencia sabatiana, que amplifica en su ensayística, que todo ser debe forjarse auténticamente, o sea, debe eliminar la mala fe. El extremo que nos lleva a ocultarnos nuestras debilidades radica en la vanidad humana, criticada tanto por Sartre como por Cas-

[8] Ernesto Sabato, *El túnel.* Buenos Aires, Editorial Sudamericana, 1967, pág. 9. (Toda futura referencia a esa novela será hecha a esta edición).

tel. Para ambos la vida aparece como arrojada y carente de sentido. Castel nos dice que ésta "a cada instante fija matemáticamente su posición y sigue su ruta hacia el objetivo con un rigor implacable. Pero no sabe por qué va hacia este objetivo".[6] En otro lugar insiste en que nada tiene sentido y en que nuestra presencia en la tierra es como la de "un planeta minúsculo, que corre hacia la nada desde millones de años, nacemos en medio de dolores, crecemos, luchamos... y otros están naciendo para volver a empezar la comedia inútil".[7]

Según Sabato, el cuerpo es lo único que tenemos como medio indispensable de comunicación: "El cuerpo de los demás es un objeto y mientras el contacto se realice con el solo cuerpo no existirá sino una forma de onanismo".[8] En otro lugar nos dice: "Las almas no se pueden comunicar sino a través de los cuerpos... Los pensamientos, las emociones, las sonrisas, los gestos, las palabras, las miradas que constituyen un alma, son en definitiva, sutiles vibraciones de la carne".[9] Esas dos citas reflejan el paralelo ideológico que –en relación al cuerpo y a su posición fenomenológica– aúna a Sartre y Sabato.

Todos los comentadores de *El túnel* están de

[6] *Ibid.*, págs. 41-42.
[7] *Ibid.*, pág. 44.
[8] Ernesto Sabato, *Heterodoxia*. Buenos Aires, 1953, págs. 49-50.
[9] *Ibid.*, pág. 94.

acuerdo en que su tema central sea el de la soledad e imposibilidad de comunicación. El mismo Sabato ha declarado que "el tema de la soledad y de la incomunicación es uno de los temas que caracterizan a la literatura de esta época de crisis".[10] Ahora bien, el autor argentino se ha referido a la fenomenología en la caracterización de personajes ya que "la vida es libertad dentro de una situación, la vida de un personaje novelístico es doblemente libre, pues permite al autor ensayar misteriosamente otros destinos".[11] Para él, "el arte, como el amor y la amistad, no existe *en* el hombre sino *entre* hombres".[12] Esa es, exactamente, la esperanza que alienta a Castel a escribir su tragedia, ya que es esa "débil esperanza de que alguna persona llegue a entenderme, aunque sea una sola persona".[13]

El novelista le ha creado con esa profesión específica ya que ella tiene su eje ontológico en la mirada demiúrgica. No nos es posible concebir otra profesión en la cual se puedan encontrar tantos elementos afines con la ideología fenomenológica. Sabato nos dice:

> "En otras partes de este libro he dicho por qué el cuerpo alcanza una trascendencia metafísica en

[10] Ernesto Sabato, *El escritor y sus fantasmas*. Aguilar, 1963 Pág. 174.

[11] *Ibid.*, pág. 201.

[12] *Ibid.*, pág. 259.

[13] Ernesto Sabato, *El túnel*, pág. 13.

la literatura de hoy. El examen de la obra de Sartre es en este sentido ejemplar, pues en ella dominan dos obsesiones: la suciedad y la mirada; y ambas no son sino la consecuencia de una única obsesión, poderosa y central: el cuerpo".[14]

Para añadir un poco más adelante:

"En *A puerta cerrada*, el infierno es simplemente la mirada de Inés, una mirada que para colmo se sufrirá por toda la eternidad, en una habitación cerrada donde no hay donde esconderse, y donde no es posible ni el sueño ni el olvido".[15]

En 1947 Sartre publicó varios artículos en "Los tiempos modernos". Tres de ellos nos interesan para los fines de este estudio y hoy forman un conjunto titulado *¿Qué es la literatura?* El primero de ellos se titula "¿Qué es escribir? y allí nuestro filósofo discute la fenomenología de varias formas de arte comparadas con la de un escritor. Para Sartre —y también para Sabato, como demostraremos en las líneas que siguen— el pintor es un creador en un doble sentido. Como ser ordinario que está en situación, en cada instante de su vida forma un universo fenomenológico enteramente suyo; él pasa a ser el absoluto juez creador de todo lo que su mirada le da a conocer. Al mismo tiempo es creador en el sentido de su profesión de pintor. Es debido a esta dualidad que la *mirada* toma el papel pre-

[14] Ernesto Sabato, *El escritor y sus fantasmas*, pág. 195.
[15] *Ibid.*, pág. 196.

ponderante que requiere nuestra correlación. Ahora bien, en su calidad de agente libre, Castel ha pintado un cuadro titulado *Maternidad*. El nombre implica el fenómeno de la creación fenomenológica: sus cuadros *son sus hijos*. En esa pintura ha establecido una ventana que simboliza sus ojos y su conciencia. Allí ha colocado también "una mujer que miraba esperando algo, quizá algún llamado apagado y distante". Lo que ello sugería era una "soledad ansiosa y absoluta". Esa aludida ventana forma la variante más común en la novela ya que aparece 10 veces: la última siendo la del calabozo —igual que Garcín en *A puerta cerrada*— una especie de infierno eterno.

Detengámonos un instante en esa descripción de la mujer joven en el cuadro. Desde todo punto de vista fenomenológico, ella representa u perfecto objeto en la mente de nuestro pintor Dada la calidad de sujeto libre de Castel, trasciende de un modo absoluto toda creación suya Ahora bien, una muchacha desconocida parece observar detenidamente aquello que para el pintor "constituía algo esencial".[16] La observa todo el tiempo con ansiedad y le da la impresión nuestro héroe de que ella "estaba aislada de u mundo entero".[17] Nuestro pintor se siente inva dido por el miedo —la primera variante sartreana— a pesar de no poder explicarse el porqu

[16] Ernesto Sabato, *El túnel*, pág. 14.
[17] *Ibid.*, pág. 15.

de esa sensación. En realidad nuestro Castel ha comprendido, de un modo inmediato, que desde ese momento él ya no es agente libre y que al introducirse otro sujeto en su mundo ontológico ese intruso ha creado la hemorragia de la que hablamos en nuestro estudio inicial. Es muy in-eresante hacer notar —y lo hacemos de paso— que la otra novela de Sabato, *Sobre héroes y umbas*, empieza con una experiencia similar a ésta. Esto quiere decir, en la fenomenología sa-batiana, que tanto el pintor como su cuadro han sido trascendidos en calidad de objetos por a muchacha. Desde ese contacto inicial hasta el in de la novela, Juan Pablo tratará en vano le recuperar su condición de agente libre.

La mirada será el eje central que se utilizará, omo medio de comunicación, entre el pintor y María. Hasta el capítulo IX se centrará en la rofesión de Castel únicamente. En ese capítulo e anuncia por primera vez, "me miró con esa xpresión que yo había notado el día anterior, uando me dijo "la recuerdo constantemente": ra una mirada extraña, fija, penetrante, pare-ía de atrás, esa mirada me recordaba algo, unos jos parecidos, pero no podía recordar dónde os había visto".[18] En ese mismo capítulo, y describir a la muchacha, añade "quizá la mi-ada, pero ¿hasta qué punto se puede decir que la irada de un ser humano es algo físico?".[19] Casi

[8] *Ibid.*, pág. 39.

[9] *Ibid.*, pág. 40.

al terminar ese capítulo se quedan un moment silenciosos y ella vuelve la cara y "clava su m rada" en él. El pintor observa la "mirada dura de María y cree que, tal vez, ella siente la a siedad de él y, por un instante, ablanda su m rada y se le ofrece como un puente, transitor y frágil. En ese momento María le dice —lo mi mo que Inés en *A puerta cerrada*—: "Hago mal todos los que se me acercan".[20] Esta mirac llega a su clímax en el capítulo xx. Sin embarg queremos indicar que esa variante fenomenol gica empieza a coexistir —entre Juan Pablo María— con el tema del amor existencial. I efecto, al empezar el capítulo xvi nos dice el pı tagonista: "Amaba desesperadamente a María no obstante la palabra *amor* (con letra bast dilla por el novelista) no se había pronuncia entre nosotros".[21] No pudiendo lograr la com nicación por medio de la mirada, acudirá al cu po. Al escribirle a ella, recibe la contestaci con la frase "tengo miedo de hacerte muc mal".[22] Allí, el protagonista, anticipándose hilo de la narración, nos dice que el intento sado en el amor fracasó entre ellos: "Pier ahora hasta qué punto el amor enceguece y q mágico poder de transformación tiene. ¡La h mosura del mundo! ¡Si es para morirse de sa!".[23] Pronto vuelve ella a la ciudad y al hab

[20] *Ibid.*, pág. 46.
[21] *Ibid.*, pág. 64.
[22] *Ibid.*, pág. 65.
[23] *Ibid.*, pág. 66.

mbos del "amor verdadero", ella no puede me-
os de sonreír. En el capítulo XVII el pintor tra-
a de asegurarse de que "la unión física se le apa-
ecía como una garantía de verdadero amor".[24]
'ero lejos de tranquilizarle, esa clase de amor le
erturba más. Lo peor de la situación es que él
ıbe que María tenía razón al rechazar el amor
ísico como medio de comunicación. Ella es la
nica que se da cuenta de la situación. Una vez
ntes ha fracasado con Richard, y fuera de esa
xperiencia tiene el fracaso con su marido.

Una vez que Castel advierte que el amor físi-
ɔ ha fracasado tanto como la mirada, llega al
tado masoquista. Eso se determina viendo su
ısistencia en su fracaso al intentar insistir en
ı relación física con María. La solución que
ıtonces se le ocurre es la de asesinarla, pero,
l como dice al comienzo, está imposibilitado
e olvidarla y por eso nos cuenta su tragedia.

En cuanto a los otros personajes, la relación
ıtre Castel y cada uno de ellos es diferente. Con
unter "se descuida" [25] al conocerlo en la es-
ncia. En un pasaje clave para nuestro estudio,
ce el pintor "al recordar mi sistuación, me di
uscamente vuelta, en dirección a Hunter, para
ntrolarlo. Es un método que da excelentes re-
ltados con individuos de este género".[26] Otro
so interesante es el de Allende, el ciego esposo

[2]4 *Ibid.*, pág. 71.

[2]5 *Ibid.*, pág. 96.

[2]6 *Ibid.*, pág. 96.

de María. La crítica se ha perdido en laberintos psicológicos tratando de explicar este fenómeno de la ceguera, por lo demás muy común en la obra de Sabato. Debido a que el ciego es un "objeto perfecto", o sea, no puede trascender a nadie por faltarle la mirada, se ve forzado a depender de otra persona y vivir dentro de la subjetividad de ésta, construyéndose un universo en el cual vive de "mala fe": autoengaño. Al comunicarle Juan Pablo al ciego que María lo engaña, el universo del marido se derrumba y de allí que llame al pintor "insensato": vivir sin sentido sin el orden en el cual vivía en la subjetividad de ella. Termina por suicidarse ya que su vida no tiene valor sin la presencia de una subjetividad ajena. Mimí Allende representa un caso típico de una persona de "mala fe". Su mirada —e rasgo más usado para caracterizarla— es miope

Nuestro héroe se ha sentido desde el comienzo como si se le abriera "una oscura pero vasta poderosa perspectiva".[27] Intuye que "una gran fuerza, hasta el momento dormida",[28] se desencadenaría en él al encontrarse con María por primera vez. Imposibilitado de aceptar "la parte de María" que podía haberlo salvado "momentáneamente",[29] intenta luchar contra su existencia por medio de diferentes variantes ya explicadas. Debido a que como objeto no logra vivi

[27] *Ibid.*, pág. 38.
[28] *Ibid.*, pág. 38.
[29] *Ibid.*, págs. 108-109.

en la subjetividad de ella, trata de "encararla". Para ello intenta la posesión física: "¿Qué quería decir? ¿Un amor que incluyera la posesión física? Jamás me preocupó excesivamente. Quizá lo buscaba en mi desesperación por comunicarme más firmemente con María". [30]

El final de esta novela, el simbolismo de los túneles separados, nos recuerda una descripción de Sartre:

> "Pareceríamos habernos cerrado todas las puertas y estar condenados a mirar el ser trascendente y la conciencia como dos totalidades cerradas sin comunicación posible". [31]

Ernesto Sabato, por medio de su narrativa y su ensayística, nos lleva a conclusiones mucho más dramáticas que las expuestas por Sartre. Por lo demás existe mucho de común entre los dos autores: desde su creencia en la posición del escritor y la importancia del cuerpo en la fenomenología contemporánea hasta la insondable problemática que el hombre se plantea cada vez que intenta valorar su vida. En *El túnel,* Sabato ha humanizado la angustia metafísica del hombre en esta época de crisis. Esto lo ha hecho al mismo tiempo que ha vuelto accesible para la mayoría de los lectores su posición dentro de la fenomenología contemporánea.

[30] *Ibid.,* págs. 72-73.
[31] Jean-Paul Sartre. *El Ser y la Nada,* pág. 33.

VI

Análisis estructural comparado de tres novelas

Sobre héroes y tumbas
El túnel
El proceso

Hélène Baptiste. (Université de Paris)

Traducción: *Martha Richter*

> "La figura de Fernando, místico de la inmundicia y de los infiernos, se injerta conscientemente en las alucinaciones de Lautréamont y Rimbaud. Pero el argentino no es sólo un hombre como ellos, y su metáfora constituye una visión infernal de los tiempos actuales, en que la realidad y la imaginación se equilibran minuciosamente. Desde este punto de vista, hace pensar en Kafka".
>
> "Neue Zürcher Zeitung"

Una novela "en abismo"

Muchos años después de publicar *El túnel,* Sabato publica *Sobre héroes y tumbas,* y entre ambas narraciones existe un vínculo, pero no según el procedimiento de Balzac y de Proust, de reaparición de los personajes, sino de una manera novedosa: se vuelve a hablar de un personaje anterior, pero no es el autor quien lo hace sino otro de sus personajes. En el Informe sobre Ciegos, Fernando Vidal se refiere a Juan Pablo Castel, protagonista de la novela anterior, y echa luz sobre *El túnel* según sus convicciones, que no son las del lector.

Ya analizaré en detalle las estructuras, pero por el momento fuerza es reconocer que examinar el crimen de un neurópata de una novela desde la perspectiva de un paranoico de otra es una idea genial que da a la obra de Sabato una vertiginosa profundidad. Luego de analizar varias posibilidades, Fernando concluye diciendo: "Hay todavía algunas variantes de las variantes, que no vale la pena que yo describa pues cada uno de ustedes puede fácilmente ensayar como ejercicio; ejercicio por otra parte útil pues nunca se sabe cuándo y cómo puede caerse en alguno de los ambiguos mecanismos de la Secta".

El lector, frente a esta construcción "en abismo" que puede retroceder hasta el infinito, es presa de vértigo, y la realidad se vuelve inestable. No sólo los personajes son nudos de relaciones dentro de una misma novela sino que, más aún, los personajes de una novela anterior se corresponden con los de ésta, dando a la obra una abismal profundidad. Porque no se trata de alusiones gratuitas, ya que el análisis del caso Castel hecho por Fernando influye sobre su propio destino: lo induce a emprender su huída y hará de él un hombre cercado.

No es posible, pues, en el caso de un novelista como Sabato, leer la novela como una entidad cerrada. *El túnel* se mueve como un astro dentro de un vasto cosmos, y por eso, aunque aparecido anteriormente, conviene hacer previamente el análisis de *Sobre héroes y tumbas.* Las relaciones sujeto-objeto [1] para Castel son análogas a las relaciones sujeto-objeto de Fernando. Por otro lado, no podemos ni debemos disociar a los dos personajes y a las dos novelas. Cada parte remite a un complejo conjunto que no es

[1] "Objeto" es la persona empleada como término de la acción del sujeto. El sujeto está en correspondencia con el sujeto gramatical de la misma manera que el objeto lo está con el complemento (de objeto) directo. El objeto está vinculado con el resto del discurso y con el sujeto en particular mediante un vínculo formal. Se deduce que el sujeto es el protagonista activo y el objeto el protagonista pasivo. El oponente (que corresponde al complemento de oposición) es el protagonista-pantalla que se determina respecto a los vínculos del sujeto con el objeto. Su papel consiste en obstaculizar las relaciones entre el sujeto y el objeto. Pero eso tiene una correspondencia con las relaciones gramaticales que hay entre el sujeto, el objeto (complemento directo) y el complemento de oposición.

De acuerdo con la *Grammaire Larousse du Français contemporain*, de Chevalier, Arrivé, Blanche-Benveniste y Peytard (1964), definimos las proposiciones de oposición de la siguiente manera:

—Se examinan dos acontecimientos que existen o podrían existir simultáneamente: corresponden las construcciones de tiempo: es una oposición simple.

—Se constata que dos acontecimientos coexisten o pueden coexistir, pero de tal modo que uno debería impedir la realización del otro: proposiciones de concesión.

El protagonista pantalla tiene el mismo papel que en la gramática tiene el complemento de oposición.

un contenido inmanente, y que, además, queda siempre abierto. El lector siente verdaderamente el deseo de hacer caso a la invitación de Fernando imaginando hipótesis, descifrando, analizando, creando vínculos entre una obra y la otra. Este vasto conjunto no es un contenido significativo que lo trasciende. Y la estructura de la obra es el reflejo de esta trascendencia un contenido abierto, jamás saturado.

Examinemos ahora en detalle los lazos entre ambas ficciones.

En primer término, recordemos que Allende, el marido de María en *El túnel,* es ciego. Luego es fácil advertir un parentesco de tono entre afirmaciones de Castel en esa novela y de Fernando en el Informe sobre Ciegos. "Diré antes que nada que detesto los grupos, las sectas, las cofradías, los gremios y en general esos conjuntos de bichos que se reúnen por razones de profesión, de gusto o de manía semejante." Esa afirmación de Castel podría, evidentemente, haber sido emitida por Fernando, así como esta otra: "pero, en general, la humanidad me pareció siempre detestable". Y, sobre todo, esta confesión directamente vinculada con la fobia central del hombre del Informe: "Debo confesar, ahora, que los ciegos *no me gustan nada* y que siento delante de ellos una impresión semejante a la que me producen ciertos animales, fríos, húmedos y silenciosos como las víboras".

Veamos ahora cómo Fernando Vidal estudia

el drama de *El túnel* desde su propio punto de vista: "Volví entonces a analizar el caso Castel, caso que no sólo fue muy notorio por la gente implicada sino por la crónica que desde el manicomio hizo llegar el asesino a una editorial. Me interesó poderosamente por dos motivos: había conocido a María Iribarne y sabía que su marido era ciego".

El novelista ha desaparecido por completo, ya que *El túnel* es un documento escrito por un personaje, y examinado por el personaje de otra novela.

Jean Ricardou, en *Problème du Nouveau Roman* (pág. 181) analiza la construcción en abismo en estos términos "Lo que LA CAÍDA DE LA CASA USHER, el mito de Edipo y HEINRICH VON OFTER DINGEN nos dicen, en consecuencia, es que la puesta en abismo es, antes que nada, la rebelión estructural de un fragmento de la narración contra el conjunto que lo incluye". Pero lo extraordinario en Sabato es que esta construcción en abismo o esta rebelión se produce desde una novela sobre la anterior. Fernando aparece como un nudo de relaciones y a través de él se establecen poderosos vínculos entre las dos ficciones.

No sólo Fernando y Castel han hecho el mismo descubrimiento sobre los ciegos, sino que Fernando ha conocido a María, por él sabemos que Castel verdaderamente era loco, y, en fin, también por su intermedio se nos abren diversas posibilidades sobre aquel suceso.

Nos dice, en su Informe sobre Ciegos:

"Sin ninguna clase de dudas, el crimen de Castel era el resultado inexorable de una venganza de la Secta. Pero, ¿cuál fue exactamente el mecanismo empleado? Durante años intenté desmontarlo y analizarlo, pero nunca pude superar esa ambigüedad que típicamente domina en cualquier acto planeado por los ciegos. Expongo aquí mis conclusiones que de pronto se ramifican como los corredores de un laberinto:

"Castel era un hombre muy conocido en el ambiente intelectual de Buenos Aires, y por lo tanto sus opiniones sobre cualquier cosa también debían de ser notorias. Es casi imposible que una obsesión tan profunda como la que tenía con respecto a los ciegos no la hubiese manifestado. La Secta, mediante Allende, marido de María Iribarne, decide castigarlo.

"Allende ordena a su propia mujer ir a la galería donde Castel expone sus últimos cuadros, demuestra gran interés por uno de ellos, permanece delante, en actitud extática, el tiempo suficiente para que Castel la advierta y la estudie, y luego desaparece. Desaparece... Es una manera de decir. Como siempre sucede con la Secta, el persecutor se hace en realidad perseguir, pero procediendo de tal manera que tarde o temprano la víctima cae en sus manos. Castel reencuentra por fin a María, se enamora perdidamente de ella, como loco (y como tonto) la "persigue" a sol y sombra y hasta va a su casa, donde el propio marido le entrega una carta amorosa de María. Este hecho es clave: ¿cómo explicar semejante actitud en el marido sino por el fin siniestro que la Secta se proponía? Recuerden que Castel se atormenta con ese hecho inexplicable. Lo que sigue no vale la pena repetirlo aquí: basta recordar que Castel enloquecido de celos mata finalmente a María y es encerrado en un manicomio, el lugar más adecuado para que el plan de la Secta quede clausurado en forma impecable y para siempre fuera de todo peligro de aclaración. ¿Quién va a creer en los argumentos de un loco?" Si el lector entra en el juego, será necesario –según el descifrado de Fernando– creer todo lo que dice Castel.

Castel no sería el sujeto sino el objeto de la Secta.

Fernando propone dos hipótesis

1. La muerte de María estaba decidida, como forma de condenar al encierro a Castel, pero era un plan ignorado por Allende, que realmente quería y necesitaba a su mujer. De ahí la palabra "insensato" y la desesperación de ese hombre hasta la escena final.

Las relaciones entre los personajes son entonces modificadas:

Sujeto	Objeto	Oponente
Secta	Castel María Allende	0

1. La muerte de María estaba decidida y Allende conocía esa decisión. Aquí se abren dos subposibilidades:

A. Era aceptada con resignación, porque quería a su mujer pero debía pagar alguna culpa anterior a su ceguera, culpa que ignoramos y que parcialmente ya había pagado al ser enceguecido por la Secta.

B. Era recibida con satisfacción por Allende, que no sólo no quería a su mujer sino que la odiaba y esperaba así vengarse de sus numerosos engaños. ¿Cómo conciliar esta variante con la desesperación final de Allende? Muy sencillo: teatro para la galería, e incluso teatro impuesto por la Secta para borrar los rastros de la retorcida venganza.

2. La segunda hipótesis de Fernando no modifica al sujeto en la primera subcategoría *A*. En la

Sujeto	Objeto	Oponente
Secta Allende	Castel María	0

toda la diferencia resulta de la posición de Allende en la categoría sujeto u objeto. Para Fernando no hay ninguna duda: el sujeto principal es la Secta de los Ciegos. Los objetos son las víctimas: Castel es el blanco. En el esquema 2, se ve que el sujeto emplea un auxiliar (que se convierte en sub-sujeto) para lograr el objeto principal: Castel, pasando por el sub-objeto María. Empleo aquí la terminología de algunos gramáticos alemanes que designan en las construcciones causativas, el sujeto principal (*obersubjekt*), y al sub-sujeto (*intersubjekt*): el primero ordena la acción (la Secta), el segundo la ejecuta (Allende, en la hipótesis 2).

¿Es la Secta el único sujeto o se ha agregado un colaborador, Allende? En el caso en que Allende no esté al corriente de nada, también es un objeto, y por lo tanto una víctima (esquema 1). Los objetos son, en efecto, víctimas, ya que Castel se vuelve loco, María es asesinada y Allende se suicida.

Análisis comparado de las relaciones sujeto-objeto en "Sobre héroes y tumbas" y "El túnel"

No hay que olvidar que las relaciones entre Fernando y los otros son de la misma naturaleza que las de Castel. Fernando mantiene relaciones según este esquema:

Sujeto	*Objeto*
Secta	Fernando

Él también se coloca como víctima en relación a la Secta, ya que se dice perseguido y anuncia que será el fuego el que pondrá fin a sus días.

La situación de Castel, tal como la ve Fernando, es idéntica a la suya:

Sujeto	*Objeto*
Secta	Castel

Podemos deducir, ya sea un paralelismo de situación —Fernando como un "doble" de Castel— ya sea una proyección de su propia situación sobre la de Castel.

Creo, en efecto, que no es necesario tener en cuenta el indicio que da el desciframiento de Castel para el personaje de Fernando. Lo he estudiado porque lo encuentro muy seductor, y porque es una técnica novelesca muy rica en sugestiones. El lector tiene deseos de entrar en el juego y a su turno emitir hipótesis.

Sin embargo, no hay que olvidar que encontramos el mismo esquema que para Castel en el caso de Fernando, ya que Bruno nos hace saber que Fernando es su objeto, y que en efecto es presa del delirio de persecución. Fernando cree que las relaciones entre el sujeto y el objeto son al comienzo las siguientes:

Sujeto	*Objeto*	*Oponentes*
Fernando	Secta	La ciega de la campanilla. El ciego del subte, etc.

Luego los oponentes dan la impresión de desaparecer, y Fernando cree en las siguientes relaciones

Sujeto	*Objeto*	*Oponentes*
Fernando	Secta Iglesias	Los otros

Hay hasta este momento, un sub-objeto (Iglesias) que sirve de intermediario al sujeto principal (Fernando) para esperar al objeto principal (la Secta). Los oponentes dan la impresión de haber desaparecido, o por lo menos vuelto a su anonimato.

En el momento en que Fernando descubre que los oponentes son los sujetos, y en el momento de la aparición de los sub-sujetos identificados por él, las relaciones son modificadas, las funciones activas y las funciones pasivas están invertidas:

Sujeto	*Objeto*	*Oponente*
Secta Norma Pugliesse Sra. Etchepareborda	Fernando	0

En ese momento Fernando cree tomar conciencia de haber caído en la trampa y de que no es él quien investiga a la Secta, sino la Secta la que lo maneja desde el comienzo para hacerle caer entre sus redes. Desde ese momento pasa de la función activa a la pasiva, se vuelve la víctima.

El sujeto principal (la Secta) parece entonces haberse anexado sub-sujetos o ayudantes: Norma Pugliesse, la señora Etchepareborda, etc. Es esto lo que da realmente la impresión de que Fernando está cercado. La idea de los sub-sujetos es en verdad muy larga, pues hay que agregar a Louise y a todos los miembros de la Secta. La lista queda abierta, no se satura. Sin embargo, no hay que olvidar que los esquemas precedentes dan cuenta de lo que *cree* Fernando (su pretendida persecución).

Sabemos, y esto recién en *Sobre héroes y tumbas,* que en realidad Castel está encerrado como loco. Lo mismo podemos pensar de Fernando. Pero con la diferencia de que Fernando se vuelve al final un objeto, puesto que es la víctima de Alejandra. Sin embargo, no es más que un medio-objeto, ya que él mismo va al encuentro de su muerte; pudiéndose por lo tanto hablar de un asesinato-suicidio.

Es necesario, en consecuencia, establecer estas relaciones:

Sujeto	*Objeto*
Alejandra	Fernando

Se podría entonces uno preguntar si Alejandra no es un sub-objeto del sujeto principal: la Secta.

También aquí Sabato deja deslizar voluntariamente la ambigüedad.

¿Son éstas las relaciones?

Sujeto	*Semi-objeto*	*Oponente*
Secta		0
Alejandra	Fernando	

¿Será entonces Alejandra un ayudante de la Secta?

¿O son las siguientes?

Sujeto	*Semi-objeto*	*Oponente*
Alejandra	Fernando	

Personalmente creo que es necesario comprometerse en el sentido de esta segunda hipótesis: el sujeto "Secta" no existe, no es más que una proyección del delirio de persecución de Fernando, proyección que por otra parte señala a los ojos del lector en el sujeto verdadero que se rebela al final en la persona de Alejandra. Pero de cualquier manera, las relaciones no son más sujeto-objeto, y ya que el objeto, asumiendo su muerte y yendo al encuentro de su destino, pierde su función pasiva. Es por lo que he llamado semi-objeto.

Lo que resulta muy extraño y a la vez muy seductor es, tal como ya he dicho, esta construcción en abismo, no ya en el interior de una misma novela, sino de una novela sobre otra. Produce vértigo: un paranoico (Fernando) analiza los escritos de otro paranoico (Castel).

Desde ahora sólo tomamos en consideración las hipótesis de Fernando, pues en rigor opino que las relaciones son:

Sujeto	*Objeto*	*Oponente*
Fernando	Fernando	0

Fernando es a la vez sujeto y objeto, y las relaciones son las mismas que a mi criterio realmente existen para Castel:

Sujeto	*Objeto*	*Oponente*
Castel	Castel	0

Solamente una frase-indicio de *El túnel* (de valor unívoco) permite emitir la hipótesis de que Castel está encerrado en un manicomio: "Por lo menos puedo pintar, aunque tengo la impresión de que los médicos se burlan a mis espaldas". Médicos psiquiatras, con toda probabilidad. Y esta hipótesis encuentra su confirmación en "Sobre héroes y tumbas", donde Fernando presenta el relato de Castel como la narración de un alienado.

Las relaciones que existen entre el sujeto y el objeto en "El proceso" son finalmente las mismas que en las dos novelas de Sabato:

Sujeto	*Objeto*	*Oponente*
K	K	0

Tres temas comunes en "El túnel", "Sobre héroes y tumbas" y "El proceso"

El análisis estructural de estas tres novelas no puede ser hecho más que individualmente, pues, sus respectivas estructuras son muy diferentes. No obstante es posible establecer una comparación.

Hay tres temas que son comunes, y puede decirse que son también los sujetos comunes: el erotismo, la búsqueda y la muerte. Están unidos entre sí por un eje paradigmático.

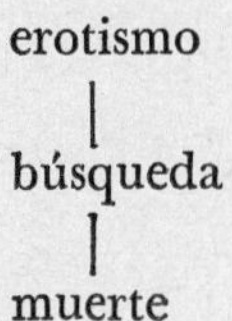

Para algunos personajes de Sabato (Martín, Bruno), el erotismo se transforma en amor, al menos de una manera unívoca. En Sabato, efectivamente, los personajes son seres en huida (en particular las mujeres: Alejandra, María, Georgina) y el amor no es nunca un amor compartido. Cuando es recíproco es efímero, y rápidamente se desintegra.

Aun en este nivel hay una relación con la búsqueda, ya que en los personajes masculinos de Sabato la búsqueda es, entre otras, la del amor: es el caso de Martín, Bruno, Castel. Esa búsqueda del ser amado que huye es comparable a la que Proust nos presenta en *Du côté de chez Swann*.

En un primer nivel, el erotismo aparece pues directamente vinculado a la búsqueda. En este nivel, sin embargo, no es posible establecer una temática común entre las tres novelas. Es en un segundo nivel en que se puede establecer la comparación.

El erotismo aparece pues subordinado a la búsqueda. Es el caso de Fernando, de Castel (o por lo menos de un cierto Castel) y de K. Para Fernando, lo primordial es la indagación de la Secta y todo está subordinado a ese fin. Las mujeres le parecen un medio muy cómodo para obtener algunas informaciones; es por lo que confiesa que con ellas sólo tiene relaciones sexuales. Y hasta vence su repulsión para tener relaciones sexuales con una Ciega. No obstante, Fernando encuentra un placer perverso en esa depravación de la mujer; de la manera que la trata en tanto que objeto —y objeto despreciable—. La misma concepción y actitud de Castel en *El túnel*: las relaciones que mantiene con las prostitutas están subordinadas a su búsqueda amorosa y aparecen como una revancha.

De la misma manera, las experiencias de Alejandra con Marcos Molina están subordinadas a la búsqueda de la pureza: lo arrastra en aventuras de las que ella sale victoriosa de la carne, después de haber bordeado al abismo.

Esta subordinación del erotismo a la búsqueda es común a *El proceso*. K pide ayuda y en especial de las mujeres; si intenta volver a ver a Mademoiselle Burstner es porque le había dicho que entraría en un estudio de abogado; desde ese momento ella está en relación con la búsqueda y le está subordinada, transformándose en un objeto para K. En Kafka no se trata de amor, sino simplemente de relaciones sexuales, como en Fernando y en Castel, relaciones que son para K *un medio* puesto a disposición de la búsqueda de la justicia. Es por lo que abandona a su amante para mantener relaciones con Leni, la amante de su abogado, la que resulta también para él fuente de información. Y es por la misma razón que K esboza un idilio con la lavandera: ella le había dicho que tenía alguna influencia con el Juez de Instrucción.

El tema del erotismo está pues o asociado a la búsqueda (la búsqueda del ser amado) —o bien le es subordinado (el erotismo como una etapa para tocar al objeto de la búsqueda).

El tema de la muerte es consecuencia del tema de la búsqueda. A partir de esta conclusión la búsqueda es el tema central de las tres novelas.

En *Sobre héroes y tumbas* cohabitan y se mezclan búsquedas o indagaciones cuyos fines son diferentes del ser amado (para Martín, Bruno, Castel), una de la pureza (para Martín, Lavalle, Alejandra, Fernando y K, una de la secta sagrada (Fernando). Esta —que se podría llamar búsqueda del imposible— es idéntica a la que K realiza en *El proceso.*

Un estudio más profundo permitirá establecer una verdadera comparación, pero se puede desde ya afirmar que el tema de *la búsqueda del absoluto* no sólo es común a las tres novelas sino que *es el tema principal.*

Dije que una de las consecuencias directas de la búsqueda era la muerte. En efecto, en *Sobre héroes y tumbas* la búsqueda de la pureza lleva a Alejandra a la muerte, de la misma manera como lo lleva a Lavalle; la de la Secta conduce A Fernando a la muerte, así como K en su persecución de la justicia.

Por otro lado, la búsqueda erótica de Castel, que es a la vez del ser amado y de lo absoluto, lo conducirá a una muerte en vida, como es el caso de todos los viejos de *Sobre héroes y tumbas* (D'Archangelo, Don Pancho) que añoran de la edad de oro. La nostalgia del país natal (como en el caso del viejo D'Archangelo) transforma sus vidas en una sobrevida: un verdadero museo de momias.

Estructura de base común a las tres novelas

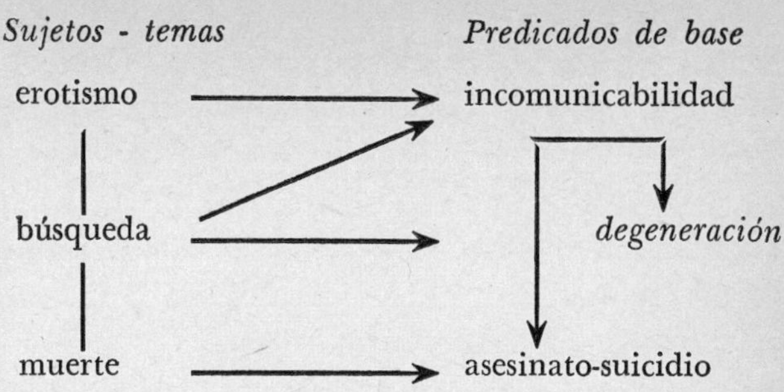

Tres predicados con bases comunes

A los tres temas corresponden tres predicados comunes a las tres novelas:

La incomunicabilidad, la degeneración y *el asesinato-suicidio.*

Hemos visto que las relaciones que unen los temas son de orden paradigmático, de la misma manera que lo son las relaciones que unen los predicados de base; pero las relaciones tema-predicado son de orden sintagmático.

Veamos primero las relaciones sintagmáticas:

El erotismo tiene por predicado de base a la incomunicabilidad. Ya advertimos que el erotismo, en algunos personajes de Sabato, se manifiesta bajo la forma del amor (Martín, Bruno, Castel) . Pero es un amor no compartido. En Sabato, el erotismo es, pues, incomunicación; lo que los personajes imaginaban refugio supremo —la prueba de amor y de comunión en la unión física— se manifiesta en realidad como un fracaso. Ni qué decir que los personajes que mantienen con las mujeres relaciones sexuales no logran ninguna comunicación (Fernando y K). Por otra parte esta incomunicabilidad es a la vez el predicado de base del erotismo y el predicado de base de la búsqueda. Así, hemos distinguido búsquedas de distinta naturaleza: la de la pureza (en los personajes siguientes: Alejandra, Fernando, Bruno, Martín, los viejos) que desemboca en la incomunicación.

He hablado antes de personajes momificados: Don Pancho, por ejemplo, aunque sentado delante de una ventana, no ve nada del mundo presente y no contempla más que su eterno film interior. A sus ojos no existe más el interlocutor; está enteramente fuera del mundo, en búsqueda de la pureza que se encuentra en el pasado.

Aun a los personajes jóvenes en pos de la pureza parece habérseles cerrado el horizonte. También Martín se atrinchera ya en el mundo de las estatuas (símbolo de pureza) ya en una interioridad malsana.

El personaje se encuentra pues frente a su soledad. Hay una frase en los "Carnets" de Kafka que se repite como un leit-motiv: "la soledad no trae más que castigos".

En cuanto a los personajes apasionados por la pureza (Fernando, K) y en la búsqueda de una trascendencia, su comportamiento los lleva a la incomunicación (Fernando está solo, lo mismo que K) o la degeneración. La incomunicación es el principal predicado-base en las tres novelas.

Relaciones sintagmáticas y funciones paradigmáticas de los temas y de los predicados

Las relaciones sintagmáticas se establecen entre el tema de la búsqueda y el principal predicado de base: el de la degeneración. Personajes en búsqueda del absoluto (como Castel) terminan por caer en la degeneración mental. Es asimismo el caso de Vania, víctima del desgarramiento y de la nostalgia por su patria lejana, y será, a no dudarlo, el caso de Martín. La degeneración aparece en todos los viejos de la novela y hasta del mundo entero, corrompido y que ha de ser purificado por el fuego. Esta degeneración en *Sobre héroes y tumbas* parece simbolizada en la antigua familia de los Olmos. Y en ella se vuelve a ligar a la incomunicación (que es su consecuencia) y, según eje sintagmático, a la búsqueda.

Acabamos de ver que la búsqueda conduce a la degeneración: Castel es un neurópata, Fernando es un paranoico. Volvemos a encontrar este fenómeno en K, cuya degeneración alcanza al plano físico, pues en el curso del proceso el protagonista pierde la rapidez de sus reflejos y su lucidez; los lazos que lo unen a la realidad cotidiana se aflojan, descuida su trabajo, se vuelve abúlico y si su búsqueda no hubiera terminado con la muerte es seguro que su fin habría sido el mismo que el del personaje de *El castillo*: muerte por total agotamiento. La otra consecuencia de la incomunicación es el asesinato-suicidio, que aparece como segundo predicado de base común a las tres obras. Para un ser condenado a la incomunicación, su último camino es el suicidio: es el caso de Martín, que sólo se salva por intervención divina. Pero, más que eso, es el asesinato-suicidio la consecuencia directa,

—por una parte, a nivel paradigmático, de la incomunicación;

—por otra, en el plano sintagmático, del tema de la muerte.

En las tres novelas, la muerte es un asesinato-suicidio: Fernando y Lavalle en *Sobre héroes y tumbas,* María en *El túnel,* K en *El proceso.*

En rigor, exactamente como en la obra de Kafka, Fernando sabía que iba a morir, y lo sabía por la revelación en su descenso a los infiernos; del mismo modo que K no ignoraba el fin que debía tener y esperaba a sus verdugos. Uno y otro van al encuentro de sus propias muertes y la sumen hasta el punto tal que no debe hablarse de resignación sino de provocación; no de asesinato sino de asesinato-suicidio.

Lo mismo pasa con Lavalle en *Sobre héroes y tumbas* y con María en *El túnel.* Lavalle sabe perfectamente que su salvación está en la huida hacia Bolivia por senderos ocultos, y sin embargo no lo hace y va al encuentro de la muerte: legítimamente podemos hablar de suicidio.

Algo semejante ocurre con Alejandra, que, quizá como Lavalle, es presa del remordimiento y marcha hacia su propia muerte.

Y es el caso, en fin, de María. Desde el comienzo de la novela, después de algunas dudas, asume enteramente su papel de objeto, de víctima. Sabe que Castel terminará matándola y cuando él irrumpe en su dormitorio con el cuchillo en la mano ni siquiera grita para llamar en su auxilio al primo que está en la habitación vecina: tiene la misma mirada de sumisión que siempre tuvo frente a Castel, lo que demuestra que sabía cuál sería su destino desde el mismo comienzo de su vínculo.

Habiendo asumido por entero su destino, la función de víctima es trascendida.

Relaciones Temas-Predicados de base comunes a las tres novelas

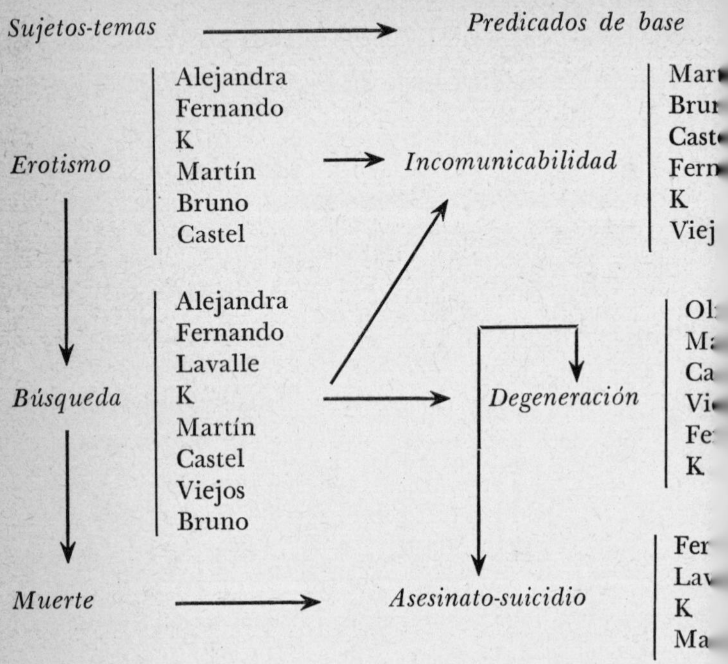

El problema del tiempo

Desde el punto de vista de la filosofía que Sabato profesa, no hay una realidad en sí misma sino a partir del momento en que la mirada de un hombre se posa sobre ella y así la crea. En ese sentido puede decirse que su novelística ha sufrido la influencia de escritores como William Faulkner. En *Mientras agonizo* cada personaj narra acontecimientos que se están desarrollando desde la agonía de Addi Bundren hasta su inhumación. El lector debe crear su propia visión del hecho, después de haberlo oído de los diferentes narradores. (Anotemos, de paso, la frecuencia de personajes aquejados de demencia tanto en Faulkner como en Sabato).

En Ernesto Sabato el relato se realiza a distintos niveles y pasa por uno o varios intermediarios, resultando así su técnica mucho más compleja que en Faulkner. Y en una sola novela como *Sobre héroes y tumbas* utiliza procedimientos que Faulkner emplea en varias. Su lector debe realizar un esfuerzo para alcanzar a reconstruir la realidad, tanto como el que lee *Mientras agonizo* debe llegar a ser el decimoséptimo testigo del suceso. En ambos novelistas casi nunca vemos *producirse* un acontecimiento: no vemos más que lo que ya ha sucedido, lo que todavía no ha sucedido, o lo que es imaginado. Es ese pasaje entre lo que aún no es y lo que ya ha sido, entre lo que no es y lo que podría ser, lo que más particularmente nos angustia en *El túnel,* ya que la mirada no percibe lo que es sino lo que acaba de ser. Aludo al momento en que Castel sorprende sobre el rostro de María no la sonrisa sino sus vestigios. De la misma manera que Quentin Compson en *Absalom, Absalom* ve sucesos imaginarios mejor que si los hubiese vivido, Castel vive imaginarios encuentros con María, Fernando siente y vive una metamorfosis imaginaria de su ser con una intensidad tal que en comparación con ella lo "real" es insípido e irreal. No se puede menos que pensar en *El visionario,* de J. Green, y sobre todo en la parte titulada "Eso que pudo haber sido".

Sabato, como Faulkner, relata sus historias comenzando por el fin: desde el comienzo sabemos que Alejandra muere, de la misma manera sabemos que Castel ha matado a María. Podemos agregar que si no sabemos cuál será la suerte de K en *El proceso,* lo adivinamos desde el comienzo.

Así como Faulkner relata dos historias en *Luz de Agosto,* Sabato cuenta cuatro historias en *Sobre héroes y tumbas*: la de Martín —Alejandra, la de Fernando, la de Bruno— Georgina y la de la Legión, pasando de una a otra y remontando el tiempo hasta un pasado mítico.

Tenemos que destacar también el acontecimiento innombrado: no conocemos la violación en "Santuario", no vemos el asesinato de Fernando ni el suicidio de Alejandra, de la misma manera que no aparecen sus actividades como prostituta. En Sabato, la palabra es a veces pronunciada como incidentalmente, como a propósito de otro personaje o de alguna manera indeterminada, como en el discurso que Molinari le hace a Martín sobre la prostitución.

Ya en Kafka (que es catorce años mayor que Faulkner) aparecen procedimientos análogos a los que utilizan Faulkner y Sabato, como el silenciar lo esencial: en *El proceso*, jamás se habla de juicio y K está condenado no se sabe por qué ni por quién.

Si las alteraciones temporales no son tan visibles en *El proceso* como en Sabato o en Faulkner, ¿no nos hacemos quizá en *El proceso* a un tiempo falsamente lineal? El tiempo durante el cual transcurre el procedimiento parece desenvolverse en un año. El día del arresto de Joseph K es precisamente el día en que cumple treinta años. Y su ejecución se produce "la víspera del día que cumplía treinta y un años".

¿Qué era lo que realmente pasó en ese año? Muy pocas cosas. K había ensayado penetrar en los secretos de la justicia, había buscado ayuda, sin encontrarla: no había aprendido nada positivo —o no había comprendido lo que vanamente habían tratado de enseñarle— (es el caso de Titorelli y del cura). Sin embargo hay una diferencia fundamental entre la primera y la última escena: al comienzo, K está sorprendido, escandalizado por la irrupción de esos dos señores en su vida; al final está preparado a su llegada. Nadie necesita indicarle la manera en que debe vestirse. K ya lo sabe.

Sin embargo, las indicaciones concernientes al tiempo son precisas: por ejemplo Mademoiselle Burstner llega a su casa a las once y media de la noche. Pero, aquéllas referidas al lapso en que van sucediendo no permiten al lector percatarse del tiempo objetivo que transcurre.

Kafka da indicaciones como: "el próximo domingo", "una de estas noches" o, por ejemplo, "El día siguiente" (el día siguiente al que K descubre al verdugo que azota a Franz y a Willem en la pieza de los trastos viejos del banco). Mientras tanto, K parece amnésico a todo lo que sea anterior a su arresto. Es arrestado, su pensamiento está detenido, y ese instante también parece estarlo; o mejor, es una especie de tiempo cíclico en lo que todo está decidido desde el comienzo.

K debe hacer gran esfuerzo cuando necesita reconstruir recuerdos pertenecientes a un pasado anterior a su arresto: olvida que tiene una amante (la olvida porque no la ha vuelto a ver y porque ya no existe verdaderamente para K más que lo que ve). De la misma manera en que olvida enseguida el episodio de la pieza de desperdicios.

Al principio el proceso parece no avanzar y a la vez es como si hubiese pasado un largo tiempo desde el arresto. Mientras tanto, la entrevista con el comerciante Block en el capítulo VIII nos muestra que el proceso no lleva más de seis meses. Sentimos "una detención", un estancamiento, mientras Kafka hace decir a Leni: "No parece haberte sorprendido que él te reciba a las once de la noche, a pesar de su enfermedad". ¡La impresión de atascamiento proviene de que abogado Huld está en cama desde hace seis meses! Su estado no mejora, como tampoco el del proceso. Todo está paralizado. ¿No anuncia esto el Robbe-Grillet, en particular de *En el laberinto*? Gérard Genette en *Vertige Fixe* comenta a este propósito: "Releídas con el estímulo que echa esta nueva luz, las novelas anteriores revelan una turbadora irrealidad, anteriormente insospechada, cuya naturaleza aparece de pronto fácilmente identificable: este espacio a la vez inestable y obsesivo, este paso ansioso, atascado, estas falsas semejanzas, estas confusiones de lugar y de personas, este tiempo dilatado, esta culpabilidad difusa . . . : el universo de Robbe-Grillet es el del sueño y de la alucinación".

Los primeros seis meses ocupan casi doscientas páginas de *El proceso* y los últimos seis solamente cien páginas. Se desprende de esto que en el momento en que K despide a su abogado, todo parece precipitarse de golpe: K no tendrá más tiempo para ver nuevamente a Leni; consultará a Titorelli y abreviará (quizá seguramente en desventaja para él) la conversación con el sacerdote.

Sin embargo, desde la ejecución, el tiempo se distancia de nuevo y la marcha hacia la muerte parece excesivamente lenta, prolongada por la irritante ceremonia de los dos señores. Ha pasado verdaderamente un año? ¿Al despertarse K en la mañana en que cumple treinta y un años, no sueña, acaso, toda esta aventura, en un estado que no es aquel en que el hombre duerme ni aquel en que está despierto? ¿No sueña K sobre lo que podía haberle pasado durante un año de su vida? O mejor, ¿no ha creado K un tiempo que le es propio: el tiempo de soñar? En rigor K no ha efectuado durante su despertar el peligroso pasaje a la realidad. K jamás estará exactamente despierto: continúa viviendo su sueño, con un ritmo de tiempo que le es propio: el tiempo de *El proceso.*

El tiempo, como el espacio, es aquí elástico; y es la mirada posada sobre el mundo lo que lo distancia, de la misma manera como cuando Martín creía vivir una eternidad porque Alejandra lo miraba. Sin embargo, en su presentación, la novela parece seguir un orden cronológico —orden arbitrario ya que ciertos capítulos podrían invertirse—; pero en este orden hay pocas alteraciones, pocas vueltas para atrás. Solamente el comerciante Block evoca la escena en la que K ha entrado en la sala de espera de las oficinas de la justicia, y la presenta bajo un aspecto completamente distinto: todos se habían levantado, no para saludar a K (como él lo había creído), sino por el ujier. El lector se ve entonces obligado a reajustar su visión, de acuerdo con la visión de este último personaje. Procedimiento que será ampliamente desarrollado en Faulkner y en Sabato. La novela da la impresión de un diario que anotara a medida que suceden los acontecimientos. K no hace más que alusiones de su pasado anterior al arresto (él no reconoce a los tres empleados del Banco más que cuando se los presentan). A pesar de su impaciencia porque el proceso avance, K, por una vida anticipada, anula sólo dos veces el presente: son los dos sueños sobre el porvenir que llegan a tomar consistencia y a presentarle un futuro como presente. Hay que subrayar que son dos sueños de venganza: "Podría ser entonces que un día, después de haber trabajado largamente con informes mentirosos sobre K, el juez de instrucción, en la noche, encontrará vacía la cama de su mujer. Y vacía porque ella perteneciese a K." Y una segunda venganza: "Se representaba la hermosa escena grotesca que podría crear, por ejemplo, el espectáculo de ese lastimoso estudiante... de rodillas delante de la cama de Elsa ... Esa idea le había gustado tanto que había decidido llevarlo a la casa de ella en la primera ocasión".

Sin embargo, K no hará nada de eso, ya que le es imposible proyectar una acción en el porvenir y mucho menos llevarla hasta su consumación. Hemos visto que quebranta la decisión que había tomado después de su primer interrogatorio de observar y mantenerse mudo; de la misma manera que quiere escribir una demanda y no encuentra el tiempo, etc. Pero, contrariamente a Castel, que vive una vida imaginaria con una intensidad tal que lo real desaparece, los sueños vindicatorios de K no son lo suficientemente poderosos como para abolir la realidad del proceso, que reaparece enseguida como un obsesivo presente.

Un orden significativo: el trastrueque cronológico

En *El túnel* el tiempo es lineal. Excepto las escenas imaginadas por Castel, y que ocupan su pensamiento durante algunos meses, las memorias están escritas según un orden cronológico.

Pero en el plano estructural, Sabato se hace maestro del tiempo en la novela *Sobre héroes y tumbas*, en una forma que recuerda a Faulkner. En ambos creadores el trastrueque temporal no tiene por objeto una mera complicación ni un propósito de hermetismo sino que es consecuencia inevitable de la descripción de una conciencia, ya que la conciencia del hombre no vive linealmente el tiempo. Es el crítico el que tiende a reconstruir el orden cronológico, pero muy pronto advierte que de ese modo la novela se desmembra y que era justamente aquel aparente desorden el que permitía expresar la complejidad de la conciencia.

Presentar cuatro acontecimientos en el orden *A, B, C* y *D* no tiene la misma significación que presentarlos en el orden *B, C, D* y *A*. Lo que es significativo es la estructura. Intentaré una reconstrucción cronológica, no para restablecer a cualquier precio un orden que sería aniquilador sino para hacer evidente la significación de ese trastrocamiento temporal que marca el ritmo propio en la memoria de Fernando, como en la vida misma.

Linealmente, todo comienza con el encuentro con Iglesias en 1929 y todo termina en 1955 en el momento en que Fernando redacta sus memorias. No daré aquí más que las siguientes reminiscencias del protagonista, en el orden cronológico exacto:

A: historia de Brauner
B: historia del ascensor
C: historia de Castel
D: historia de Louise

Estos episodios llegan a la memoria de Fernando en el orden *B, C, D, A*. En el orden temporal no hay relación lógica entre el acontecimiento A y el B, o sea entre la historia de Brauner y la del ascensor, entre la del ascensor y la de Castel, entre la de Castel y la de Louise. Pero el orden que establece Sabato en su novela es significativo, y los hechos están relacionados por un vínculo. Hay un vínculo entre B y C, es decir entre la historia del ascensor y la de Castel: desde el punto de vista de Fernando, en ambos casos se trata de una venganza de la Secta. La historia C se relaciona con la D, ya que es al reflexionar sobre la locura y encierro de Castel cuando Fernando huirá, huida que ha de conducirlo hasta Louise. Y es Domínguez el que establece la ligazón entre la historia D, la de Louise, y la historia A, la de Brauner.

Un nuevo demiurgo: el lector

En el Informe sobre Ciegos, el personaje de Sabato abre perspectivas que no esclarece:

> "Anoto rápidamente puntos que desearía analizar si me dan tiempo:
> "Ciegos leprosos.
> "Caso Clichy, espionaje en la librería.
> "Túnel entre la cripta de Saint-Julien-le-Pauvre y el cementerio de Pere Lachaise. Jean Pierre, cuidado..."

Redactadas en estilo telegráfico, son nuevos indicios que ningún personaje trata de descifrar. Que estas sospechas estén o no fundadas, lanzan al lector sobre otras pistas. Y como permanecerán indescifrados, todo el misterio que promueven subsiste. Es el lector el que debe imaginar otras aventuras a partir de estas notas sumarias: la novela queda abierta y el lector puede lanzar su imaginación a partir de hipótesis precisas. Las frases así anotadas pueden constituir los puntos iniciales de una nueva novela, que el lector puede crear, al menos en su imaginación.

Esto es lo que fundamentalmente separa para siempre una obra como *Sobre héroes y tumbas* de una narración policial, en el sentido de que el final es siempre relativamente previsible, "en la medida en que el autor dispone y combina los diferentes hilos de la intriga, que en seguida él mismo tratará de desanudar" (*L'Oeuvre et ses tecniques*, de G. Michaud, pág. 141). Es precisamente lo que no puede hacerse en ficciones como las de Sabato y Kafka.

En el relato policial el autor dispone las partes y la intriga de tal manera que el enigma es finalmente esclarecido por él, después de haber jugado durante cien o doscientas páginas con el lector. Durante ese juego de escondites, el lector también hace sus hipótesis e intenta esclarecer las zonas oscuras, pero es siempre el autor quien antes de la palabra FIN da la clave del enigma.

En Kafka, y más aún en Sabato, *aparentemente* ocurre el mismo proceso: el autor ha incitado al lector a jugar al detective con él, intrigando su curiosidad y el lector ha entrado en el juego; pero una vez cerrado el libro no hay ninguna revelación de clave por parte del autor, de modo que el lector puede continuar el juego en la realidad. Y entonces releerá la novela, buscará nuevas pistas, reconsiderará todos los indicios. Lo que corresponde bien a la moderna concepción lingüística: la lengua se presenta como un conjunto no terminado. (*Grammaire structurale du français: le verbe*, J. Dubois, pág. 5.)

En novelas de esta naturaleza el lector deja de desempeñar, pues, el pasivo papel que tradicionalmente le era asignado, para convertirse en un creador de una realidad que no le es enteramente dada sino apenas sugerida. El novelista nunca le da la totalidad: le pide que observe y sobre todo que escrute más allá de lo que meramente le es presentado. Y el lector imaginativo compone la historia, o más bien la recompone. El autor ya no es más el demiurgo que sabe todo lo que sucede mejor que sus propios personajes; es más bien el lector el que verdaderamente está en condiciones de acceder a la totalidad, restableciendo vínculos entre los personajes, rellenando baches, abriendo nuevas perspectivas, recreando, en fin, la historia que le ha sido presentada. En las dos novelas de Sabato se da plenamente esta libertad creadora para el lector, esa tarea de desciframiento e integración. Y aun si no se halla a la altura de ese papel creativo, el lector tendrá la sensación de no ahogarse pasivamente en aquel mundo de la literatura tradicional en el que, una vez cerrado el libro, los personajes retornan como a un museo de fósiles, después de un transitorio periplo por la existencia.

ÍNDICE

Ernesto Sabato

HOMBRES Y ENGRANAJES

Agotadas en poco tiempo las dos primeras ediciones de este trabajo, el autor se negó a reeditarlo, y mantuvo hasta hace poco esa actitud a pesar de las insistencias de estudiosos y lectores. Pero Hombres y engranajes **no sólo sigue siendo de actualidad sino que, en cierto modo, resulta ahora de mayor interés que en 1951, cuando apareció en su primera versión, pues se encuentran en ella ideas que muchos años más tarde se han popularizado en las teorías de Marcuse, así como en algunos aspectos doctrinarios de la llamada "revolución de mayo" de los estudiantes franceses. Particularmente decisiva es la idea de** la otra alienación, **no la vaticinada por Marx sino la provocada por la tecnología, que por igual afecta a la sociedad capitalista y a la soviética.**

Dueño de un estilo vigoroso y terso, Sabato se destaca dentro de la literatura actual por la seriedad de su pensamiento y por la sinceridad con que lo expresa.

Ernesto Sabato

HETERODOXIA

En 1945 Ernesto Sabato apareció en la escena literaria con un libro extraño titulado Uno y el Universo. Esta especie de "diccionario del hombre en crisis" no podía tener fin. De ahí que, en 1953, haya publicado un segundo volumen titulado Heterodoxia. Por motivos estrictamente personales el autor no quiso después seguir reeditando estos dos libros, pero hace poco tiempo resolvió cambiar de actitud. Emecé Editores se complace en presentar esta segunda edición de Heterodoxia, que ha sido revisada por el autor, al punto de que representa una cabal expresión de su pensamiento actual.

ESTE LIBRO
SE ACABÓ DE IMPRIMIR
EN BUENOS AIRES
EN EL MES DE MARZO DE 1972,
EN LOS TALLERES DE LA
COMPAÑÍA IMPRESORA
ARGENTINA, S. A.,
ALSINA 2049.

EMECÉ EDITORES, S. A.
ALSINA 2041 — BUENOS AIRES